Milchkaffee und Streuselkuchen

Carolin Philipps wurde 1954 geboren und ist Gymnasiallehrerin in Hamburg. Sie ist mit einem Vietnamesen verheiratet und hat zwei Kinder. Besonders interessiert ist sie an Themen (auch politisch aktuellen), die Kinder und Jugendliche heute beschäftigen. Für ihren Roman »Milchkaffee und Streuselkuchen« wurde Carolin Philipps der »Mentioning Award des UNESCO Prize for Peace and Tolerance 2000« verliehen.

Von Carolin Philipps ist im Carlsen Verlag außerdem der Titel »Träume wohnen überall« lieferbar.

Carolin Philipps

Milchkaffee und Streuselkuchen

Veröffentlicht im Carlsen Verlag
8 9 10 14 13 12
Mit freundlicher Genehmigung des Ueberreuter Verlages

Umschlagbild: Dagmar Henze
Umschlaggestaltung: formlabor
Corporate Design Taschenbuch: bell étage
Gesetzt aus der Sabon von Dörlemann Satz, Lemförde
Druck und Bindung: GGP Media GmbH, Pößneck
ISBN 978-3-551-35771-7
Printed in Germany

Alle Bücher im Internet: www.carlsen.de

1

Donnerstag, 3. Oktober 1991, 18.00 Uhr.

Seit einer Stunde sitzt Sammy auf der Fensterbank in seinem Zimmer und wartet. Auf den Knien liegt sein Sprachbuch. Immer wieder liest er den Text über den *Altweibersommer* durch. Ob Frau Pinkepang, seine Klassenlehrerin, morgen diesen Text als Diktat schreiben lassen wird oder den auf der nächsten Seite? Dort steht eine Geschichte über das Drachenbauen, die Sammy sehr viel besser gefällt.

Er blättert auf die nächste Seite um, wo neben der Geschichte ein buntes Foto von einem Jungen, der seinen Drachen steigen lässt, abgebildet ist.

Sammy hat bereits das Versprechen seines Vaters eingeholt, mit ihm genau so einen Drachen zu bauen: leuchtend rot mit zwei Schnüren zum Lenken und einem endlos langen Schwanz.

Wo Sonia nur bleibt?

Wenn sie jetzt nicht endlich kommt, muss er sich tatsächlich noch ans Üben machen. Sammy schaut suchend aus dem Fenster, aber von Sonia keine Spur.

Seufzend blättert er zurück zu dem anderen Diktattext.

»Schaut euch beide Geschichten gut an, vor allem die schwierigen Wörter«, hatte Frau Pinkepang gestern Morgen am Ende der letzten Stunde gesagt.

»Schreiben wir ein Diktat?«

Das war typisch Boris, so was zu fragen. Er wollte sicher wieder null Fehler schreiben. Das hat Sammy zwar auch vor, aber er hätte sich lieber die Zunge abgebissen, als zu fragen. Das Schlimmste, was einem in der Schule passieren kann, ist, als Streber dazustehen.

Frau Pinkepang jedenfalls hatte nicht Ja und nicht Nein gesagt, nur ganz merkwürdig gelächelt, so dass alle Bescheid wussten.

Sammy bezweifelt, dass seiner Lehrerin genau wie ihm die Drachengeschichte besser gefällt. In der Geschichte über den *Altweibersommer* kommen sehr viele schwierige Wörter vor und er hat das dumpfe Gefühl, dass sie genau aus diesem Grund den Text bevorzugen würde.

Er sieht auf seine Armbanduhr: 18.04 Uhr. Wo bleibt Sonia nur?

Im Zeitlupentempo spitzt er seinen Bleistift an, holt sein Übungsheft aus der Schultasche und macht sich daran, die schwierigen Wörter herauszusuchen und aufzuschreiben.

Ihm selber ist es eigentlich ziemlich egal, ob er zwei oder drei Fehler macht, aber seine Mutter denkt da anders.

»Du hast die Chance, eine gute Ausbildung zu bekommen, die dein Vater und ich nicht hatten. Du sollst es einmal besser haben als wir«, sagt sie immer. »Aber dafür musst du lernen, lernen, lernen.«

Von seinem Fensterplatz aus kann Sammy den Hof, den Spielplatz und die Straße beobachten. Auf dem Parkplatz, wo er oft mit seinen Freunden Fußball spielt, stehen heute viele Autos.

Es ist Feiertag, der neu eingeführte Tag der Deutschen Einheit, und die meisten Leute brauchen nicht zur Arbeit zu gehen. Einige sind mit ihren Familien mit der S-Bahn in die Innenstadt gefahren, wo ein großes Stadtfest mit Buden und Clowns, Straßentheater und Musik rund um den See stattfinden soll.

Dieser neue Nationalfeiertag soll jedes Jahr in einer anderen Stadt als großes Fest gefeiert werden, bei dem alle fröhlich sind. Das hat er in der Zeitung gelesen.

Sammy wäre auch schon gerne heute Morgen gefahren, aber seine Eltern haben an diesem Tag beide nicht frei. Seine Mutter arbeitet als Krankenschwester im Krankenhaus, sein Vater hat Schichtdienst bei der Straßenbahn bis weit in die Nacht hinein.

Sicherlich hätten sie sich einen Tag frei nehmen können. Sammy hat gehört, wie seine Eltern darüber geredet haben.

»Ich weiß nicht, ob dieser Tag auch für uns ein Tag zum Feiern ist«, hat der Vater zum Abschluss gesagt.

Sammy hätte ihn gerne gefragt, was er damit meinte, aber manchmal hat sein Vater so einen traurigen Ton in der Stimme, und dann ist es besser, man fragt nicht zu viel.

Zum Glück gibt es Sonia. Sie hat so lange gebettelt, bis ihre Eltern einverstanden waren, auch Sammy mit zum Feuerwerk zu nehmen, das nachts um elf Uhr auf dem See abgefeuert werden soll.

Sammy klappt das Sprachbuch zu. Er ist viel zu aufgeregt zum Lernen, denn so ein richtiges Feuerwerk hat er noch nie gesehen, außer im Fernsehen natürlich. Oder an Silvester, da hat er mit seinem Vater Raketen abgefeuert.

Aber dies hier soll ein besonderes Feuerwerk zur Feier des Tages werden. Seit Tagen sind Spezialisten auf einer künstlichen Insel mitten im See mit den Vorbereitungen beschäftigt.

Das hat Sven gestern in der Schule erzählt und der weiß es von seinem Vater, der jeden Tag auf dem Weg zur Arbeit am See vorbeikommt.

Er schaut wieder nach draußen. Ist das Sonia, die da läuft? Nein, ein kleines Mädchen rennt zum Nachbarhaus und verschwindet im Flur. Sammy sieht einen Schatten die Treppe hochhuschen und hinter einer Tür im dritten Stock verschwinden.

Hoffentlich vergisst Sonia ihn nicht.

Er beobachtet die Menschen, die nach Hause kommen. Sie sind offensichtlich alle auf dem Stadtfest gewesen. Fröhliche, lachende Gesichter. Die Kinder haben Luftballons in der Hand. Einige lutschen an ihrer Zuckerwatte. Sammy schnuppert. Riecht es nicht schon nach gebrannten Mandeln?

Er fühlt in seiner Hosentasche nach dem Fünfmarkstück, das ihm sein Vater heute Morgen geschenkt hat. Zuckerwatte will er dafür kaufen, oder doch lieber gebrannte Mandeln? Er kann sich einfach noch nicht entscheiden. Wenn er Glück hat, reicht das Geld sogar für beides.

Sammy schaut besorgt zum Himmel hoch. Es wird doch heute nicht regnen? Der Wetterbericht in den Nachrichten hat zwar nichts von Regen gesagt. Aber der Mann im Fernsehen hat ihn schon öfter enttäuscht: Er hatte strahlenden Sonnenschein für den letzten Klassenausflug angekündigt – und was kam? Regen und nichts als Regen.

Seitdem studiert Sammy lieber selber den Himmel und heute sieht es eigentlich nicht nach Regen aus. Kaum eine Wolke – ideales Feuerwerkswetter.

18.20 Uhr. Das Telefon klingelt. Es ist seine Mutter.

»Zieh dich warm an, wenn du gehst. Es ist abends schon kalt draußen. Und vergiss nicht, die Tür zweimal abzuschließen.«

»Jaja«, sagt er und schneidet eine Grimasse, die seine Mutter zum Glück nicht sehen kann.

Sie ist immer so besorgt um ihn, als sei er noch ein Baby. Mit zehn Jahren weiß er schließlich, wie er die Tür abzuschließen hat. Er ist ja nicht das erste Mal alleine zu Hause. Sonia hat die gleichen Probleme mit ihrer Mutter. Da kann man nichts machen, Mütter sind eben so.

Er zieht seine Jeansjacke über, holt sich ein trockenes Brötchen aus der Küche und stellt sich wieder ans Fenster.

18.30 Uhr. Unruhig trippelt er von einem Bein aufs andere. Jetzt muss sie doch endlich kommen! Ob sie ihn vergessen haben? Vielleicht sind sie schon ohne ihn gefahren. Sollte er vielleicht zu Sonia kommen? Aber sie hat doch gesagt, dass sie ihn abholt. Da ist er sich ganz sicher – oder jedenfalls war er es bis vor zwei Minuten.

Er beschließt ihr ein Stück entgegenzugehen.

2

Gerade als er sich umdrehen will, sieht er die Gruppe. Zuerst denkt er, es sei ein Laternenumzug, so wie man ihn um diese Zeit überall sieht: Eltern mit ihren Kindern, eine Musikkapelle.

»Laterne, Laterne, Sonne, Mond und Sterne …«

Hübsch sieht es aus von hier oben. Die Lichter flattern wie kleine Glühwürmer auf und ab.

Aber dann, als die Leute näher kommen, bemerkt er, dass es keine Kinder sind. Und sie haben auch keine Laternen.

Es sind fünfzehn bis zwanzig Jugendliche. 15, 16, 17 Jahre alt vielleicht. Sie halten brennende Fackeln in den Händen.

Er beobachtet, wie sie näher kommen. Sie singen und rufen irgendwelche Wörter durcheinander. Er kann die Worte nicht verstehen, die Lieder kennt er nicht, trotzdem machen sie ihm Angst.

Er macht sich Sorgen um Sonia. Hoffentlich läuft sie ihnen nicht über den Weg. Man kann ja nicht wissen. Vielleicht sind sie angetrunken. Er sollte ihr besser entgegenlaufen.

Dann fliegt der erste Stein. Im Nachbarhaus im zweiten Stock geht eine Fensterscheibe zu Bruch. Ein weiterer Stein trifft die Wand im Erdgeschoss.

Sammy beugt sich so weit vor, dass er beinahe das Gleichgewicht verliert.

Im Schein der Straßenlaterne sieht er die rote Farbe, die aus dem Farbbeutel gespritzt ist. Er sieht, wie sie die Wand hinunterläuft und auf den Boden tropft. Aus den Tropfen entsteht ein kleiner See. Ein See wie aus rotem Blut.

Obwohl Sammy weiß, dass es nur Farbe sein kann, zieht er erschrocken den Kopf zurück. Er ist froh, dass es in seinem Zimmer dunkel ist.

Das Licht in der Küche!

Leise läuft er hin, um es auszuschalten. Zwar gehen die Küchenfenster zum Innenhof hinaus, aber Sammy will sichergehen, dass auch nicht der kleinste Schimmer nach draußen gelangt. Es ist besser, wenn sie glauben, dass niemand in der Wohnung ist.

Auf Zehenspitzen schleicht er zum Fenster zurück und schaut hinaus. Niemand ist mehr zu sehen. Sammy atmet auf. Plötzlich sieht er dichten Qualm, der von den Mülltonnen kommt.

Die ersten Zuschauer versammeln sich auf dem Hof. Sie stehen in einigen Metern Abstand von den Jugendlichen und sehen zu, wie Fenster bestimmter Wohnungen unter Beschuss genommen werden. Sie selber werfen keine Steine, sie sagen auch nichts, sie stehen nur da und schauen zu.

Auch Kinder sind unter den Zuschauern. Einige halten noch bunte Luftballons in der Hand. Zuckerwatte schimmert im Schein der Straßenlaternen.

Auf den Balkonen ringsherum stehen Menschen, angelockt vom Lärm. Sammy kennt viele von ihnen. Dort oben auf dem zweiten Balkon von rechts, das ist Herr Schmöllner, ein alter Mann, für den er manchmal einkaufen geht und der ihm zur Belohnung jedes Mal ein paar Briefmarken für seine Sammlung schenkt.

Auf dem Balkon darüber steht Frauke, die mit ihm in dieselbe Klasse geht. Ob sie schon für das Diktat geübt hat? Neben ihr die Eltern und ihr großer Bruder. Der ist eigentlich sehr nett. Er hat Sammy das Skateboard-Fahren beigebracht und ihn sogar auf die Skateboard-Anlage im Park mitgenommen, um ihn den anderen vorzustellen, weil Sammy seiner Meinung nach ein großes Talent ist.

Jetzt steht er genauso dort wie die anderen und schaut zu.

Sammy beugt sich vorsichtig aus dem Fenster, um genauer sehen zu können.

Da, das sind ihre Stimmen!

Sammy wird ganz steif vor Schreck und hält die Luft an. Sie stehen direkt unter seinem Fenster.

Jetzt haben sie ihn bemerkt.

»Dort, der Schwarze!«, schreit der Anführer. Er zeigt mit der Hand auf Sammy, der hastig das Fenster schließt.

Zu spät!

Ein Stein saust durch die Fensterscheibe an Sammys Kopf vorbei aufs Bett. Glassplitter spritzen auf die Jacke und die Hose und fallen auf seine Schuhe. Ein Splitter hat ihn im Gesicht getroffen. Er spürt, wie das Blut seine Backe hinunterläuft.

Bewegungslos steht er da und starrt auf die Scherben.

Auf einmal schnuppert er. Riecht es nicht verbrannt?

Erschrocken schaut er sich in seinem Zimmer um. Sein Teddy, der auf seinem Kopfkissen sitzt, hat Feuer gefangen und brennt lichterloh.

Es ist kein Stein gewesen, sondern eine Brandbombe, die den Teddy getroffen hat.

Sammy stürzt zum Bett, reißt den Teddy hoch und rennt ins Badezimmer. Dort dreht er den Wasserhahn über der Badewanne auf, hält den brennenden Teddy darunter. Es qualmt und stinkt furchtbar. Sammy hustet und keucht.

»Wenn es brennt, dürft ihr niemals Wasser daraufgießen. Erstickt das Feuer mit einer Decke.«

Das hatten sie erst letzte Woche bei Frau Pinkepang durchgenommen. Und er hatte sogar eine Eins für das Auswendiglernen der Regeln bekommen.

Nun ist es zu spät. Das ganze Badezimmer ist voll Rauch. Sammys Augen brennen. Er reißt das Fenster, das zum Glück zum Hof hinausgeht, weit auf und atmet tief durch. Dann nimmt er den Teddy aus dem Wasser und stolpert zurück in sein Zimmer.

Dort brennt inzwischen auch die Bettdecke. Sammy kann vor lauter Qualm kaum etwas erkennen. Er packt die Decke mit beiden Händen, zieht sie zum Fenster, öffnet es und wirft sie hinunter.

Sie segelt in einer dicken Rauchwolke zur Erde, mitten in die Zuschauer hinein, die erschrocken zur Seite springen.

Zum Glück wird niemand verletzt, aber die

Menschen sind wütend und einer ruft zu Sammy hoch: »Was fällt dir eigentlich ein? Hast du keine Augen im Kopf? Hier unten stehen doch Kinder!«

Aber Sammy hört ihn gar nicht mehr. Er steht längst wieder im Badezimmer und hält seine verbrannten Hände unter den Wasserhahn. Sie tun scheußlich weh, vor allem die rechte hat es ganz schön erwischt. Große Brandblasen haben sich schon gebildet, alles ist rot.

An die Brandsalbe kommt er nicht heran, denn die Mutter hat den Medikamentenschrank abgeschlossen. Aber hat Sonias Vater nicht erzählt, dass seine Mutter ihm früher Zahnpasta auf eine Brandwunde getan hat, weil es keine Brandsalbe gab? Also schmiert Sammy sich die rechte Hand dick mit Zahnpasta ein. Sie riecht nach Pfefferminz und kühlt tatsächlich.

Er traut sich nicht, in seinem Zimmer Licht zu machen, denn von draußen kann er immer noch das Schreien und Grölen der Menschen hören. Vorsichtig späht er durch die zerbrochene Fensterscheibe nach draußen.

3

Auf dem Balkon im dritten Stock, ist das nicht Boris, der da neben seinem Vater steht?

Jetzt zeigt er mit dem Finger direkt auf Sammys Zimmer mit der zerbrochenen Scheibe. Sammy würde zu gerne wissen, was Boris in diesem Moment zu seinem Vater sagt. Ob er sich freut, dass ausgerechnet Sammy so etwas passiert? Bestimmt freut er sich. Er kann Sammy nicht leiden und ärgert ihn, sooft er ihn sieht, morgens in der Schule und nachmittags auf dem Spielplatz.

Sammy verzieht sein Gesicht vor Schmerz. In seiner Hand pocht und brennt es immer noch furchtbar trotz der dicken Schicht Zahnpasta.

Erst in diesem Moment fällt ihm Sonia wieder ein. Seine Armbanduhr zeigt 18.45 Uhr. Sind tatsächlich erst so wenige Minuten vergangen? Sie kommen ihm vor wie Stunden.

Er schaut wieder durch die zerbrochene Scheibe.

Da, das ist sie doch!

Sie kommt mit ihrem Skateboard über den Hof gefegt, umfährt geschickt die herumstehenden Menschen und braust direkt in die Gruppe der Jugendlichen hinein, die erschrocken zur Seite springen. In einer eleganten Schleife bremst sie ab und steht vor dem Anführer der Gruppe, der vor Schreck einen Stein auf seinen Fuß hat fallen lassen und jetzt vor Schmerz jammert und auf einem Bein herumhüpft.

»Ja, hast du eine Macke, oder was?«, schreit er Sonia an.

»Tut mir leid«, sagt Sonia und klemmt sich ihr Skateboard unter den Arm. »Kann ja nicht ahnen, dass du so schreckhaft bist.«

Er droht ihr mit der Faust.

»Verschwinde, du kleines Miststück, aber ein bisschen plötzlich.«

Während Sammy oben am Fenster vor lauter Angst ins Schwitzen gerät, geht Sonia mit betont langsamen Schritten zur Haustür. Plötzlich bleibt sie stehen. Etwas Rotes tropft von der Hauswand direkt vor ihre Füße.

Diesmal springt Sonia erschrocken zur Seite. Die Jugendlichen lachen.

»Was macht ihr hier?«

»Ich sagte, du sollst verschwinden!«

Der Anführer geht drohend auf sie zu.

Ein Mann aus der Menge läuft zu ihr, nimmt sie bei der Hand und zischt: »Es ist wirklich besser, du gehst jetzt, Kleine. Das hier ist nichts für dich.«

»Aber …«

Er schiebt sie zur Haustür hinein und wartet, bis sie im Flur verschwunden ist. Dann geht er zu den anderen Zuschauern zurück.

Sammy öffnet Sonia die Tür, noch bevor sie klingeln kann.

Völlig außer Atem kommt sie die Treppe hinaufgelaufen.

»Hast du die Typen da unten gesehen? Was wollen die hier?«, fragt sie immer noch wütend.

Sammy weiß nicht so recht, was er ihr darauf antworten soll. Er versteckt seine Hand hinter dem Rücken und schweigt.

»Warum ist es hier so dunkel? Warum machst du kein Licht?«

Ehe er es verhindern kann, hat sie den Lichtschalter gedrückt. Im Flur wird es hell. Im selben Moment wird sie von Sammy beiseitegeschubst. Er schlägt mit der Hand auf den Schalter, um das Licht wieder auszuschalten. Während Sonia wütend protestiert, nimmt er sie bei der Hand und zieht sie zum Fenster in seinem Zimmer.

»O Mann«, sagt sie erschrocken. »Was ist denn hier passiert? Ein Stein?«

»Es war eher eine Art Brandbombe. Die Bettdecke hab ich schon aus dem Fenster geworfen. Und meinen Teddy hat's auch getroffen. Er ist ganz verkohlt.«

Sonia schaut sich mitleidig den Teddy an. Sie versucht den Ruß von seinem Fell abzukratzen, pustet, bis sie husten muss.

»Vielleicht kann man mit einer Schere die verbrannten Haare abschneiden«, meint sie dann, obwohl sie selber nicht daran glaubt. Sie will ihn nur trösten.

Sammy steht am Fenster und sieht hinaus. Er winkt ihr zu kommen. Vorsichtig schiebt sie sich näher an das Fenster heran und schaut nach unten, wo einer der Jugendlichen sich gerade bückt und einen Stein vom Boden aufhebt. In der einen Hand hält er eine Bierflasche, in der anderen den Stein, mit dem er erneut auf das Fenster zielt.

Ehe Sammy es verhindern kann, hat Sonia das Fenster geöffnet und steckt den Kopf hinaus. Der Werfer sieht Sonias weißes Gesicht mit den blonden Locken und hält verdutzt inne.

»Hau bloß ab«, schreit sie ihn zornig an. »Mein Vater ist bei der Polizei. Die rückt gleich an. Dann kannst du was erleben!«

Das stimmt zwar nicht, weder dass Sonias Vater bei der Polizei ist noch dass die Polizei anrückt, aber es wirkt.

»Du, das war das falsche Fenster!«, schreit der Junge seinem Freund zu. »Da wohnt ein Bulle.«

»Soll er doch kommen!«, ruft ein anderer und schwenkt seine Bierflasche zu Sonia hoch. »Kriegt zur Begrüßung auch eine Bombe hinten rein!«

Die anderen lachen und drohen Sonia mit ihren Flaschen. Trotzdem, irgendwie hat Sonias Bemerkung der Sache den Schwung genommen. Langsam ziehen sich die Jugendlichen zurück. Auch die Zuschauer verschwinden einer nach dem anderen.

Als die Polizei dann tatsächlich anrückt, trifft sie nur noch zerbrochene Fensterscheiben, verschmutzte Wände, eine verkohlte Bettdecke und einige Reporter an, die für die nächste Ausgabe der Lokalzeitung Aufnahmen machen und die Leute interviewen.

Die Reporter klingeln an allen Wohnungen, wo Fensterscheiben eingeworfen wurden. Niemand öffnet. Auch bei Sammy stehen sie vor der Tür, klingeln und klopfen, aber Sammy und Sonia machen nicht auf.

Die Leute auf den Balkonen ziehen sich in ihre Wohnungen zurück. Überall werden die Fernseher aufgedreht.

4

Sonia und Sammy stehen noch eine Weile am Fenster und schauen dem Hausmeister zu, wie er laut schimpfend die Scherben zusammenfegt.

Einer der Reporter hält ihm das Mikrofon unter die Nase. Aufgeregt beschwert er sich, dass der ganze Dreck immer an ihm hängen bleibt. Sammy zuckt zusammen, als es plötzlich wieder blitzt, aber diesmal ist es nur eine Frau, die mit dem Reporter zusammenarbeitet und Fotos schießt.

»Sieh mal«, sagt Sonia auf einmal leise und zeigt auf eine Gestalt auf einem der Balkone im Haus gegenüber. Während die anderen Leute längst wieder in ihren Wohnungen verschwunden sind, steht dort jemand und schaut zu ihnen herüber.

»Das ist doch Boris!«

»Der steht da schon den ganzen Abend und schaut zu.«

Plötzlich öffnet sich die Haustür gegenüber, ein Mann mit einem Mülleimer kommt heraus. Er schaut sich um und schlendert langsam auf die Mülltonnen zu. Jetzt hat der Reporter ihn auch gesehen. Er unterbricht sein Interview mit dem Hausmeister und eilt hinter dem Mann her.

Als er ihn eingeholt hat, stellt der Mann sofort

seinen Mülleimer auf den Boden. Auch er wird befragt und fotografiert.

»Das ist doch Boris' Vater«, sagt Sammy auf einmal verächtlich. Er hat aus dem Wohnzimmer das Fernrohr seines Vaters geholt und beobachtet das Interview.

»Zeig mal.« Sonia nimmt ihm das Fernrohr aus der Hand und schaut hindurch.

»Der hat den Eimer bestimmt mit Absicht gerade jetzt runtergebracht. Damit er in die Zeitung kommt.«

In diesem Moment kommen zwei Menschen auf den Hof gelaufen.

»Meine Eltern!«, ruft Sonia. »Da! Sieh mal! Der Reporter und die Fotografin rennen hinterher!«

Aber diesmal kommen sie zu spät. Die Haustür fällt direkt vor ihrer Nase ins Schloss.

Sonia öffnet ihren Eltern die Tür. Sie sind besorgt und gleichzeitig erleichtert, dass Sonia nichts passiert ist.

»Ist alles in Ordnung bei dir, Sammy?«

»Sein Teddy ist angebrannt und die Bettdecke auch und die Scheibe ist kaputt und im Gesicht hat er eine Schramme«, erklärt Sonia für ihn.

Während sich Sonias Vater in Sammys Zimmer umschaut, untersucht die Mutter die Schramme in seinem Gesicht. Vor Sonias Mutter kann Sammy auch seine verbrannte Hand nicht lange verbergen. Sonia quietscht vor Schreck, als sie die zahnpastaverschmierte Hand sieht. Ihre Mutter wäscht die weiße Paste behutsam mit kaltem Wasser ab. Bei jeder Berührung tut es weh, so dass Sammy die Zähne zusammenbeißen muss, um nicht zu weinen.

»Wann kommt deine Mutter nach Hause, Sammy?«

»Erst in ein paar Stunden und mein Vater hat Spätschicht.«

Es wird beschlossen, dass Sammy und Sonia mit dem Vater zunächst ins Krankenhaus fahren sollen.

»Und das Feuerwerk? Gehen wir gar nicht mehr hin?« Sonia schaut ihren Vater fragend an.

Sammy hat keine große Lust, überhaupt noch irgendwohin zu gehen, aber als er sieht, wie enttäuscht Sonia ist, sagt er: »Wir können doch hingehen, wenn wir im Krankenhaus fertig sind.«

»Es ist besser, wenn er abgelenkt wird«, flüstert Sonias Mutter dem Vater zu. »Ich bleibe hier und warte auf seine Mutter. Die Scherben werde ich auch schon mal wegräumen, sonst bekommt sie einen Schock. Wie soll ich ihr bloß erklären, was geschehen ist?«

Sie sagt es ganz leise, aber Sammy hört es doch.

Inzwischen ist auch die Nachbarin zurückgekommen. Sie ist mit ihrem Hund unterwegs gewesen und lässt sich nun von Sonias Eltern erzählen, was geschehen ist.

»O mein Gott«, sagt sie, als sie Sammys verbrannte Hand sieht. »Und ich habe seiner Mutter versprochen, ein wenig aufzupassen. Es ist noch nie was passiert. Nur eine knappe Stunde war ich weg.«

Sonias Vater beruhigt sie. Keiner habe so etwas voraussehen können. Und es ist ja noch einmal gut gegangen, wenn man von der zerbrochenen Scheibe und Sammys Hand absieht.

Sammy steht ein wenig abseits und hört zu, wie sich alle aufgeregt unterhalten. Mit ihm spricht keiner über das, was passiert ist. Sie fegen die Scherben auf, lüften die Wohnung, damit der Rauchgeruch hinausweht, haben Mitleid mit seiner verbrannten Hand.

Aber keiner fragt, warum es passiert ist.

Sammy weiß es, Sonia weiß es, auch die Erwachsenen wissen es. Aber keiner spricht darüber.

Er ist froh, als er endlich mit Sonia und ihrem Vater losziehen kann. Im Krankenhaus brauchen sie zum Glück nicht lange zu warten. Die Krankenschwester schreibt Sammys Namen, seine Adresse und die Krankenkasse, bei der seine Eltern versichert sind, auf ein Formular. Dann fragt sie: »Was ist mit deiner Hand passiert? Hast du mit Streichhölzern gespielt und dein Zimmer in Brand gesetzt?«

Ehe Sammy auch nur ein Wort sagen kann, wird die Krankenschwester von Sonias Vater beiseitegezogen. Flüsternd erzählt er ihr etwas. Mit einem Auge liest Sammy weiter in seinem Comic, mit dem anderen beobachtet er die beiden. Wahrscheinlich sprechen sie über die Brandbombe.

Die Schwester bekommt ganz große Augen vor Schreck.

»Armer Kerl«, murmelt sie und verlässt eilig den Warteraum, ohne ein weiteres Wort zu schreiben.

Der Arzt kommt schon nach wenigen Minuten. Er betrachtet mitleidig Sammys Hand, auf der sich überall kleine Blasen gebildet haben. Dann legt er einen Brandverband an.

»Das wird schon wieder«, meint er zum Schluss und streicht ihm über das Haar. »Du musst nur aufpassen, dass kein Dreck in die Wunde kommt. Und morgen gehst du zu deinem Hausarzt.«

5

Endlich geht es weiter zum Feuerwerk. Die Stadt ist voll von fröhlichen Menschen. Würstchenbuden, Musikbands, bunte Lampions.

In Sammys Kopf dreht sich alles durcheinander. Wenn er die lachenden Menschen sieht, kann er kaum glauben, dass es die gleiche Stadt ist, in der vor zwei Stunden Steine und Brandbomben geworfen wurden.

Eigentlich ist es genauso, wie Sammy es sich ausgemalt hat, und doch ganz anders. Er steht mit vielen Menschen zusammen am Ufer des Sees und sie alle schauen erwartungsvoll auf die künstliche Insel in der Mitte, wo jeden Augenblick das große Feuerwerk gestartet werden soll.

Als dann aber endlich die roten und grünen Raketen am Himmel zerplatzen und die Leute vor Begeisterung »Ah!« und »Oh!« rufen, hält er sich die Ohren zu. Es knallt und zischt und hört gar nicht wieder auf. Um ihn herum leuchtet alles rot und grün und blau. Er hat das Gefühl, die Raketen kommen direkt auf ihn zu.

Als eine besonders große Rakete mit einem lauten Knall am Himmel zerplatzt, hält er es nicht mehr aus. Er dreht sich um und drückt sich durch die Menschenmenge nach hinten. Er hört Sonia verwundert rufen: »Sammy, wo willst du hin?«

Er schubst und schlägt um sich. Die Leute machen ihm schimpfend Platz. Ein Mann hält ihn am Arm fest und schüttelt ihn zornig.

»Was fällt dir denn ein? Kannst du nicht mal fünf Minuten still stehen und zuschauen wie alle anderen auch?«

Sammy reißt sich los und rennt über den Festplatz. An den Würstchenbuden und den Weinständen vorbei. Immer weiter. Aber das Zischen verfolgt ihn überallhin. Gleich wird sein Kopf platzen.

Schließlich krabbelt er unter eine der Musikbühnen und legt sich flach auf den Boden, das Gesicht nach unten, die Hände auf den Ohren. Die Musik übertönt das Zischen und Knallen.

Wie lange er da liegt, weiß er nicht. Zwischendurch horcht er. Endlich hört das Knallen auf.

Da kriecht er langsam wieder unter der Bühne hervor, ganz vorsichtig, immer horchend, ob das Zischen wieder beginnt. Niemand achtet auf ihn, die Leute schauen auf die Musiker, klatschen begeistert den Takt mit, einige fangen an zu tanzen.

Sammy steht mitten im Gewühl und weiß zunächst nicht, wie er hier jemals Sonia und ihren Vater wiederfinden soll. Dann fällt ihm das Zelt vom Roten Kreuz wieder ein. Dort sollten sie warten, wenn einer den anderen verloren hat. So war es mit Sonias Vater verabredet.

Als er am Zelt ankommt, wartet Sonia schon ungeduldig auf ihn.

»Was ist denn mit dir los? Auf einmal warst du weg. Mein Vater sucht dich überall«, sagt sie vorwurfsvoll.

Sammy murmelt eine Entschuldigung, setzt sich auf einen Stuhl und legt die Hände vors Gesicht.

»Sammy, geht's dir nicht gut? Tut deine Hand weh?«

Jetzt ist Sonia richtig erschrocken. Sammy schüttelt den Kopf. Seine Hand ist nicht das Schlimmste. Die Hand hat er fast schon vergessen.

Als Sonias Vater endlich wiederkommt, schimpft er nicht einmal. Froh, dass Sammy wieder da ist, streicht er ihm nur über den Kopf.

»Es hat so geknallt«, versucht Sammy zu erklären. Er schämt sich auf einmal ein bisschen. Bei einem Feuerwerk knallt es immer, das ist ja gerade das Schöne daran.

Aber heute hat er es nicht ertragen können.

Zum Glück versteht ihn Sonias Vater auch so.

»Ist schon in Ordnung. Es war wohl doch keine gute Idee, hierherzukommen.«

Trotzdem bleiben sie noch eine Weile da, wenn auch so rechte Freude nicht aufkommen will, obwohl sich Sonias Vater alle Mühe gibt. Er spendiert Zuckerwatte, gebrannte Mandeln und sogar Cola. Sein Fünfmarkstück braucht Sammy nicht einmal anzubrechen.

Als Sonias Vater sicher ist, dass Sammys Mutter inzwischen zu Hause angekommen sein muss, machen sie sich auf den Rückweg. Die Mutter sitzt mit der Nachbarin und Sonias Mutter im Wohnzimmer, wo sie Tee trinken und über die Ereignisse des Abends reden.

Als Sammy zur Tür hereinkommt, springt sie auf, nimmt ihn in den Arm und drückt ihn, dass er fast keine Luft mehr bekommt.

»Na, wie war's?«, fragt sie dann.

Sammy macht schon den Mund auf, um ihr von den Steinen und dem brennenden Teddy zu erzählen. Aber dann merkt er, dass sie das Feuerwerk meint. Da macht er den Mund wieder zu und überlässt es Sonia, von den Raketen zu erzählen. Dass er weggelaufen ist, erwähnt sie nicht. Auch ihr Vater übergeht diesen Teil des Abends einfach.

Es ist bereits weit nach Mitternacht, als Sonia mit ihren Eltern nach Hause geht.

»Es wäre wohl am besten, wenn Sammy heute nicht zur Schule geht«, meint Sonias Vater zu Sammys Mutter. »Er ist etwas durcheinander.«

6

Als alle gegangen sind, nimmt die Mutter ihn noch einmal in den Arm.

»Ein Glück, dass dir nicht mehr passiert ist«, sagt sie. »Tut deine Hand noch weh?«

Sammy schüttelt den Kopf. Er will ihr alles erzählen, aber sie legt nur den Finger auf den Mund und schüttelt den Kopf.

»Nicht jetzt, Sammy. Jetzt musst du erst mal schlafen. Am besten legst du dich zu mir ins Bett. Ich hoffe, dass der Hausmeister so schnell wie möglich in deinem Zimmer eine neue Scheibe einsetzt. Und morgen werden wir eine neue Decke für dich besorgen.«

Warum will sie nicht darüber reden? Als ob er jetzt schlafen könnte!

In seinem Zimmer sind alle Scherben fort. Vor die kaputte Fensterscheibe haben sie eine Plastikfolie geklebt. Es riecht auch nicht mehr nach verbrannter Wolle. Man könnte fast glauben, es sei nichts passiert. Aber nur fast, denn die Fensterscheibe hat ein Loch, seine Hand brennt und sein Teddy ...

Der Teddy. Wo ist er überhaupt? Er hat ihn doch Sonia gezeigt und dann auf sein Bett gesetzt. Aber da ist er nicht mehr. Sammy sucht im ganzen Zimmer, ohne ihn zu finden.

»Sammy, wo bleibst du denn? Ich warte auf dich!«

»Ich finde meinen Teddy nicht.«

Zunächst einmal kommt keine Antwort. Dann erscheint die Mutter in der Tür.

»Sammy«, sagt sie in diesem gewissen Tonfall, der immer bedeutet, dass er wegen irgendeiner unangenehmen Sache »vernünftig« sein soll. »Sammy, der Teddy war völlig verbrannt und feucht. Den kannst du wirklich nicht mehr ...«

Er schiebt sie zur Seite und läuft zum Mülleimer in der Küche. Da liegt er, begraben unter Teeblättern. Er holt ihn heraus und schüttelt die Teeblätter ins Spülbecken. Dann reibt und spült er ihn unter fließendem Wasser ab. Es ist mühsam, weil er nur die eine Hand benutzen kann. Sein Verband wird dabei ganz nass und die Hand fängt wieder an zu brennen.

»Sammy …«

»Lass mich in Ruhe!«, schreit er seine Mutter an. Wie kann sie ihn nur einfach in den Müll werfen! Es ist nicht so, dass er den Teddy immer noch braucht wie früher. Beim Einschlafen und so. Aber er hat, solange Sammy sich erinnern kann, in seinem Bett gelegen. Anfangs, vor vielen Jahren, auf dem Kopfkissen, jetzt irgendwo am Bettende.

Schon oft hat die Mutter ihn fast überredet, den Teddy wegzuwerfen, weil er »unhygienisch« sei, und vielleicht hätte Sammy sich ja tatsächlich freiwillig von ihm getrennt, vielleicht schon morgen. Aber nicht so. Der Teddy kann schließlich auch nichts für die Brandbombe.

Wütend rubbelt er ihn ab. Die Mutter schaut ihm eine Weile schweigend zu, dann meint sie: »Es tut mir leid, Sammy. Ich hab gedacht … Wir können ihn auf die Heizung setzen, dann ist er bis morgen wieder trocken.«

Sammy bleibt misstrauisch, aber als sie ihr Ehrenwort gibt, ihn nicht wieder in den Müll zu werfen, legt er ihn schließlich im Wohnzimmer auf ein Handtuch direkt unter die große Heizung, die die ganze Nacht leicht angeschaltet bleibt.

7

Sonia ist unterdessen mit ihren Eltern aus dem Haus gegangen. Draußen vor der Tür ist der Hausmeister mit seiner Arbeit längst fertig geworden, so dass nichts mehr an das erinnert, was sich vor einigen Stunden hier abgespielt hat.

Zumindest sieht es auf den ersten Blick so aus. Wer genauer hinschaut, sieht natürlich die rote Farbe, die noch immer an der Hauswand klebt, und auch die zerbrochenen Fensterscheiben.

Hinter den Fenstern von Sammys Wohnung brennt Licht. Sonia bleibt stehen und schaut zu Sammys Zimmer hoch. Die Mutter nimmt sie bei der Hand und zieht sie weiter.

»Es ist spät geworden, Sonia. Komm jetzt.«

Schweigend gehen sie durch die dunklen Straßen.

»Sie haben es getan, weil Sammy braune Haut hat, oder?«

Die Eltern zucken zusammen, als Sonias Worte durch die stille Straße hallen.

»Nicht so laut, Sonia«, flüstert die Mutter und schaut sich ängstlich um.

»Nicht hier auf der Straße, Sonia. Lass uns morgen darüber reden. Jetzt bin ich zu müde«, meint auch der Vater und gähnt laut.

Sonia schaut verwundert von einem zum anderen. So kennt sie ihre Eltern gar nicht. Warum wollen sie nicht darüber reden? Sind sie wirklich nur müde oder haben sie Angst?

Aber so leicht lässt sie sich nicht abwimmeln.

»Warum, Vater? Warum machen sie das?«

Der Vater seufzt. Aber da er seine Tochter kennt, fängt er an zu erklären.

»Die Frage ist nicht leicht zu beantworten. Vor dreißig Jahren, da haben wir die Ausländer in unser Land geholt, weil wir Arbeitskräfte brauchten. Heute aber kommen die meisten, ohne dass wir sie gebrauchen können. Wir haben selber so viele Arbeitslose.

Viele kommen, weil sie in ihrem Heimatland verfolgt werden, aus Angst, ins Gefängnis zu kommen, so wie Sammys Vater. Er hat in seinem Heimatland gegen die Regierung gekämpft. Es war ein Kopfgeld auf ihn ausgesetzt worden. Darum ist er hierhergekommen.

Und dann gibt es andere, die kommen, weil sie Hunger haben, und unser Land ist reich ...«

Sonias Mutter, die bis dahin schweigend zugehört hat, unterbricht ihren Mann.

»Aber du musst zugeben, Fred, dass es jetzt langsam zu viele werden. Wo sollen wir denn hin mit allen? Sie brauchen Wohnungen, Kindergartenplätze. Viele leben von der Sozialhilfe. Wer soll das alles bezahlen? Auch eine Kuh kannst du nur bis zu einer gewissen Grenze melken. Dann gibt sie keine Milch mehr.«

Sonia hört etwas verwirrt zu. Was haben Wohnungen, Sozialhilfe und die Kuh mit Sammys verbrannter Hand zu tun?

Als sie von der Hauptstraße in die kleine Nebenstraße einbiegen wollen, in der ihre Wohnung liegt, sehen sie plötzlich auf der anderen Seite einen Mann laufen.

»Das ist doch … Paul! Hey, Paul!«, ruft Sonias Vater und winkt ihm aufgeregt zu.

Paul, das ist Sammys Vater, der eigentlich ganz anders heißt. Paul haben ihn seine Arbeitskollegen getauft, weil sein richtiger Name Fitsumberhan für sie kaum aussprechbar ist.

Sonias Vater bemüht sich sonst immer, aber wenn er so wie jetzt sehr aufgeregt ist, greift auch er auf *Paul* zurück. Auch die Mutter winkt jetzt.

Der Mann aber hört sie nicht. Er rennt weiter, schaut sich zwischendurch um, als würde er verfolgt. So schnell, wie er gekommen ist, verschwindet er wieder in der Dunkelheit.

Sonias Vater schaut ihm verwirrt hinterher.

»Das war er doch, oder?«

»Sicher war er das. Was hat er nur? Er muss uns doch gehört haben.«

Sie warten noch einen Moment, um zu sehen, ob ihn tatsächlich jemand verfolgt. Aber es kommt niemand mehr, bis auf einen Mann, der seinen Hund spazieren führt.

Sonia ist froh, als sie endlich zu Hause ankommen. Obwohl sie fast im Stehen einschläft, besteht ihre Mutter darauf, dass sie sich wenigstens die Hände und das Gesicht wäscht. Da sie das Zähneputzen nicht erwähnt, überschlägt Sonia es stillschweigend.

Mütter!, denkt sie, als sie todmüde in ihr Bett fällt. Ob Sammy sich auch immer die Zähne putzen muss?

Im Halbschlaf hört sie noch, wie ihr Vater versucht bei Sammy anzurufen, aber dort geht niemand mehr ans Telefon.

8

Mit dem Einschlafen hat Sammy in dieser Nacht Schwierigkeiten. Immer wenn er die Augen zumacht, sieht er die Fackeln vor sich und er hört das

Splittern der Fensterscheibe. Krampfhaft hält er die Augen offen.

Schließlich schläft er doch ein. Er träumt von einem großen Feuer. Er sitzt am Fenster und schaut auf die Straße. Alle anderen schlafen. Plötzlich sieht er die Flammen. Sie schießen aus allen Fenstern im Haus gegenüber fast gleichzeitig hoch.

Er will seine Eltern wecken, aber immer wenn er den Mund aufmacht, um ihnen von dem Feuer zu erzählen, legt sich ein großer Zeigefinger auf seinen Mund. Er läuft zum Telefon. 112 – die Feuerwehr.

»Ja, hallo, wer ist dort?«

Er macht den Mund auf, da kommt der große Zeigefinger und verschließt ihn wieder.

»Hallo, melden Sie sich doch!«

Er legt auf, rennt zum Fenster zurück. Dicker Rauch qualmt aus allen Fenstern im Haus gegenüber, die Flammen werden immer riesiger. Auch das Dach brennt schon lichterloh.

Er rennt auf die Straße. Es sind viele Menschen dort. Sie gehen an dem brennenden Haus vorbei, so als sähen sie es gar nicht.

Sammy zupft einen Mann am Arm.

»Dort, das Haus! Es brennt!«

Aber der Mann sieht ihn nur verwundert an, legt seinen Zeigefinger auf den Mund und geht weiter.

Auch die Frau, die er danach ansprechen will, presst ihren Zeigefinger auf den Mund und geht. Selbst der Polizist merkt nichts. Er steht direkt vor der brennenden Haustür und schreibt einen Strafzettel für ein falsch geparktes Auto.

Sammy stößt ihn an und zeigt auf das Haus, doch der Polizist schüttelt nur unwillig den Kopf und legt seinen Zeigefinger auf den Mund.

Erst als das Haus dann krachend zusammenstürzt und die brennenden Balken auf die Straße fallen, werden die Menschen aufmerksam.

Doch da ist es schon zu spät.

Sie versuchen zwar noch wegzulaufen, die Feuerwehr rückt mit Blaulicht an, aber das Haus bricht über ihnen allen zusammen.

9

Schreiend wacht Sammy auf. Er sieht in das Gesicht seiner Mutter, die sich besorgt über ihn beugt. Er will ihr von seinem Traum erzählen, aber sie schüttelt den Kopf und legt ihm den Finger auf den Mund.

»Jetzt nicht, Sammy. Morgen. Du musst versuchen zu schlafen.« Sie kocht ihm noch einen Tee und bleibt bei ihm sitzen.

Trotzdem hat er Angst, wieder einzuschlafen. Immer wieder reißt er erschrocken die Augen auf.

»Es brennt, Mom! Und sie merken es nicht!«

Die Mutter ist froh, als er endlich wieder einschläft. Sie streicht ihm über seine schwarzen Locken, nimmt seine gesunde Hand in ihre und hält sie ganz fest.

An Tagen wie diesem weiß sie nicht, ob es richtig war, hierherzukommen.

Sicher, die meisten Menschen, mit denen sie zu tun hat, sind freundlich zu ihr. Im Krankenhaus zum Beispiel hat sie viele gute Freunde unter ihren Kollegen.

Auch mit den Kranken kommt sie gut zurecht, wenn auch der eine oder andere neue Patient sie im ersten Moment misstrauisch anschaut, wenn sie das Zimmer betritt. Aber nach den ersten Minuten, wenn sie das Bett frisch aufgeschüttelt, ihnen das Gesicht gewaschen und sich geduldig angehört hat, wie sie die letzte Nacht verbracht haben, vergessen die meisten, dass sie eine Krankenschwester mit dunkler Haut vor sich haben.

Manchmal träumt sie davon, wieder zu Hause zu sein, in dem Dorf in den Bergen Eritreas, einige Kilometer südlich der Hauptstadt Asmara, fast 6000 Kilometer von Europa entfernt.

Ihre Eltern waren nicht reich, aber sie hatten alles, was sie brauchten, sogar mehr als viele ihrer Nachbarn: ein Haus aus Stein mit einem Dach aus Lehm, in dem sie mit ihren Eltern, vier Schwestern und drei Brüdern lebte. Ihr Vater besaß Ziegen und Schafe, die von ihren Brüdern gehütet wurden.

In den guten Jahren, wenn genügend Regen fiel, gab es ausreichend Milch und Weizen für Brot. Für die Gäste gab es sogar Mokka, gewürzt mit Ingwer.

In den schlechten Jahren, wenn das Getreide auf den Feldern in der Sonne verbrannte, gab es Wasser statt Milch. Aber irgendwie reichte es immer. Sie waren zufrieden.

Ihr genaues Alter weiß sie nicht, denn wen interessierte das schon damals in den Bergen. Nur wenige konnten lesen und schreiben. Sie selber hatte es auch erst viele Jahre später im Lager beim Roten Kreuz gelernt.

Sie war vielleicht etwas jünger als Sammy jetzt, als die schlechten Jahre begannen. Jedes Jahr hofften sie, dass der Regen kommen würde. Die Sonne verbrannte die Felder und der Wind wehte den Staub den Berg hinunter. Die Schafe und Ziegen wurden nach und nach geschlachtet, aber an vielen Abenden waren sie und ihre Geschwister hungrig zu Bett gegangen.

Dann kam der Krieg in die Berge. Bis dahin kannten sie ihn nur aus den Erzählungen der Händler, die regelmäßig von der Stadt unten am Fuß der Berge ins Dorf kamen. An manchen Tagen hatte der Wind aus der Ferne Donnern herübergetragen, aber wer nicht wusste, was es bedeutete, der konnte glauben, es sei ein Gewitter.

Junge Männer erschienen im Dorf. Sie erklärten den Dorfältesten, dass alle Stämme, die zwischen dem Roten Meer und dem Hochland lebten, zu dem Land Eritrea gehörten. Sie sagten, dass die Soldaten des Kaisers Haile Selassie aus dem fernen Äthiopien Eritrea erobern und regieren wollten.

Das müsse verhindert werden und daher sollten alle Stämme ihre Männer schicken, um die Freiheit zu verteidigen.

Keiner im Dorf verstand so recht, worum es eigentlich ging, und es ging auch keiner den Berg hinunter, um zu kämpfen. Das Einzige, was sich änderte, war, dass der Kanonendonner näher kam und die Händler ausblieben.

Eines Abends, als sie mit einigen anderen Frauen von der Arbeit auf einem etwas abseits gelegenen Feld zurückkam, bemerkte sie schon von weitem schwarze Rauchwolken.

Die Frauen fingen wie auf Kommando an zu laufen. Als sie außer Atem im Dorf ankamen, fanden sie nur noch verbrannte Hütten und dazwischen die Toten, Frauen und Kinder.

Ein kleines Mädchen, das sich in einer Hütte versteckt hatte, rannte schreiend auf sie zu und erzählte schluchzend, dass Soldaten gekommen wären und alle Männer gefangen genommen und abgeführt hätten. Dann hätten sie wild um sich geschossen, bis sich niemand mehr bewegte. Zum Schluss hätten sie das Dorf angezündet.

Das Dorf zerstört, die Mutter und die Schwestern tot, die Brüder verschwunden.

Sie machte sich mit den anderen Frauen an die Arbeit, hackte mit ihrer Schaufel Löcher in den Boden. Es dauerte mehrere Tage, bis sie alle Toten begraben hatten. Dann machten sie sich auf den Weg ins Tal.

Anfangs gingen sie Tag und Nacht, nur mit kurzen Pausen, aber als sie dann in die Nähe der Stadt kamen, trauten sie sich nur noch in der Nacht weiter. Sie hatten Angst, auf die Soldaten zu stoßen.

Es war ein einziger Albtraum und doch hatten sie Glück. Denn sie kamen nach wochenlangem Marsch in den Sudan zu einem Flüchtlingslager des Roten Kreuzes.

Eine Zeltstadt mitten in der Wüste, ein Zelt neben dem anderen, so weit man sehen konnte. Viel zu essen gab es nicht, aber es reichte zum Überleben, wenn auch nicht für alle: Wasser, ein wenig Mehl und Öl. Lastwagen brachten es. Spenden aus Europa. Sogar eine Klinik mit Ärzten aus Deutschland gab es.

Sechs Jahre blieb sie in dem Lager. Als sie etwas kräftiger wurde, half sie in der Klinik und bekam von den Ärzten eine Sonderration. Sie lernte Deutsch sprechen, später sogar lesen und schreiben.

Hier im Lager lernte sie auch ihren Mann kennen. Er hatte jahrelang bei den Freiheitskämpfern gelebt und war bei einem Luftangriff schwer verletzt worden.

Sie heirateten im Lager, und über das Rote Kreuz kamen sie nach Deutschland, wo sie eine Ausbildung als Krankenschwester machte. Ihr Mann lernte Pfleger, bekam aber keine Arbeit und ließ sich zum Straßenbahnschaffner umschulen.

Ursprünglich war geplant gewesen, dass sie zurückgehen würden, um dort in Eritrea den Menschen zu helfen. Aber zuerst war die politische Lage zu unsicher und dann wurde Sammy geboren.

Manchmal, wenn sie Bilder im Fernsehen sieht

oder in der Zeitung Berichte über Eritrea liest, hat sie ein schlechtes Gewissen. Sie sollten hinfliegen und den Menschen dort beim Wiederaufbau helfen. Schließlich ist es ihre Heimat.

Wie oft hat sie schon mit ihrem Mann darüber gesprochen. Er würde vielleicht gehen. Schließlich hatte er jahrelang für die Unabhängigkeit Eritreas gekämpft.

Viele ihrer Freunde sind inzwischen zurückgegangen. Mit dem Geld, das sie hier gespart haben, und mit Zuschüssen von der Bank haben sie kleine Handwerksbetriebe in Eritrea aufgebaut.

Tesfasgi zum Beispiel betreibt mit großem Erfolg eine Autowerkstatt und bildet junge Eritreer als Mechaniker aus. Er schreibt, sie sollen nachkommen.

Aber sie weiß nicht, was sie eigentlich will und wo sie hingehört.

Inzwischen leben sie so lange in Deutschland, dass sie selber gar nicht mehr weiß, ob sie zurückkehren will. Zurück wohin? Heimat? Zuhause? Wo ist das? Heimat, das war ihr Dorf, ihre Eltern, ihre Familie. Das alles gibt es nicht mehr.

Und Eritrea, wo inzwischen der Krieg zu Ende geht und mit dem Wiederaufbau begonnen wird? Dort gehört sie auch nicht hin.

Hier in Deutschland kennt sie sich inzwischen besser aus.

Sie waren geblieben, damit Sammy in Frieden und Sicherheit aufwachsen konnte. Er sollte es besser haben als sie. Er sollte nicht im Lager aufwachsen, sondern eine richtige Ausbildung bekommen wie die anderen Kinder auch. Er sollte jeden Tag satt werden, zur Schule gehen, Klavier spielen, leben ohne Angst.

Und bis jetzt hatte auch alles geklappt.

Sie betrachtet ihn traurig. Vorsichtig nimmt sie seine verbrannte Hand. Sicherheit, Frieden. Wer weiß, ob es nicht bald in Afrika sicherer für ihn sein wird als hier.

10

Als Sammy ziemlich spät am Morgen aufwacht, kommt aus der Küche schon Kaffeeduft. Sammy schaut erschrocken auf den Wecker neben dem Bett. 8.40 Uhr. Die erste Stunde in der Schule ist schon vorüber und er liegt immer noch im Bett.

In seiner rechten Hand pocht es. Ganz heiß ist sie und tut weh. Erst da fällt ihm wieder ein, was am Abend passiert ist.

Statt aufzustehen, lässt er sich wieder ins Bett fallen. Die Lust, zur Schule zu gehen, ist ihm schlagartig vergangen. Es wird ihm ganz schlecht, wenn er daran denkt, dass er mit seinem Verband in die Klasse gehen soll. Er sieht Boris schon vor sich stehen und hört, wie er lacht und seine dummen Bemerkungen macht.

Als er hört, dass seine Mutter kommt, macht er die Augen zu und tut so, als ob er noch schliefe. Sie kommt herein, bleibt einen Moment neben dem Bett stehen und deckt ihn behutsam wieder zu. Dann geht sie leise hinaus.

Auf dem Platz neben ihm liegt sein Vater und schläft. Er muss irgendwann in der Nacht von der Arbeit nach Hause gekommen sein.

Sammy stützt sich auf einen Arm und betrachtet ihn. Er atmet tief und fest. Sammy berührt mit seinem Finger seine Nase. Sie ist genauso platt wie seine, etwas platter als die spitzen Nasen der meisten Leute hier im Land. Und die Lippen sind ein wenig dicker, genau wie bei ihm. Er legt seine Hand neben die Hand des Vaters. Die gleiche braune Haut.

Milchkaffee nennen ihn die Kinder in der Schule. Nicht alle, er hat eine Menge guter Freunde, aber auch einige Feinde, wie zum Beispiel Boris und seine Kumpel.

Dabei ist seine Haut gar nicht so schwarz wie die der Menschen, die aus dem Süden Afrikas kommen. Aber eben auch nicht so weiß wie die von Boris und Sonia. Und genau da fängt sein Problem an.

Das heißt, ein Problem ist es eigentlich nur, weil es für andere eins ist. Ihm selber ist es so ziemlich gleich, wie ein Mensch aussieht.

In Eritrea, wo seine Eltern herkommen, sind alle Menschen so braun wie er. Dort würde er gar nicht auffallen. Er kann sich nicht richtig vorstellen, wie das sein könnte, wenn er mit seinen Eltern dort lebte. Auf der Straße, beim Einkaufen, in der Schule. Alle würden so aussehen wie er. Keiner würde mehr *Milchkaffee* sagen, weil er auf einmal ganz normal wäre, so wie alle anderen.

Manchmal, besonders wenn er wieder Ärger mit Boris gehabt hat, träumt er von dem Dorf in den Bergen Afrikas, das er auch nur aus den Erzählungen seiner Mutter kennt. Er selbst ist nie da gewesen, ist in Deutschland geboren, viele Jahre nachdem die Eltern vor dem Bürgerkrieg in ihrer Heimat hierher geflüchtet sind.

Sein Vater hat vor einiger Zeit ein Buch über sein Geburtsland aus der Bücherei ausgeliehen und ihm Bilder gezeigt. Die Dörfer, die Landschaft und auch die Menschen, das alles ist ihm fremd.

Er kann sich nicht vorstellen, in so einem Dorf zu leben, wo seine Eltern zu Hause waren: ohne elektrisches Licht, ohne fließendes Wasser im Badezimmer, ja sogar ganz ohne Badezimmer. Waschen am Brunnen in der Dorfmitte oder im Fluss. An Fernseher und Videogerät ist gar nicht zu denken.

Die Kinder auf den Bildern haben die gleiche braune Haut wie er. Aber das ist auch alles, was sie miteinander verbindet. Ein Leben mit ihnen kann er sich nicht vorstellen.

Trotzdem träumt er manchmal davon, wie er dort mit seinen Freunden in der Schule sitzt und auf einmal die Tür aufgeht. Der Lehrer kommt herein, neben ihm ein weißer Junge mit roten Haaren, das Gesicht übersät mit kleinen bräunlichen Punkten, Sommersprossen.

»Dies ist euer neuer Mitschüler«, sagt er und zeigt auf den Jungen, der sich schüchtern hinter ihm versteckt.

Alle starren ihn an. Dann geht das Gekicher los.

»Ein Bleichgesicht!«, rufen sie.

»Hey, verträgst du die Sonne nicht?«

»Hast du einen Ausschlag? Geh weg, du steckst uns sonst noch alle an.«

Der Lehrer schimpft.

»Wie könnt ihr euren neuen Mitschüler so behandeln?«

»Er sieht so lustig aus. Mit weißer Haut und roten Haaren.«

»Und die Punkte im Gesicht! Der sieht aus wie ein Streuselkuchen.«

Wieder lachen alle. Der neue Junge heißt Boris Meier. Bei dem Versuch, den Namen auszusprechen, gibt es erneut großes Gelächter.

»B o r r r i e s M e u e r«, versuchen sie zu sagen.

»Das ist ja ein Zungenbrecher. Hey du, haben alle bei euch so ulkige Namen?«

»Wir nennen ihn einfach *Streuselkuchen*. Das passt besser zu ihm.«

Alle schreien und lachen durcheinander. Und mittendrin steht der neue Junge mit der weißen Haut und schaut auf den Boden. Sein Kopf ist ganz rot angelaufen.

An dieser Stelle bricht Sammy den Traum jedes Mal ab. Weil er nämlich nicht so weitergeht, wie er das gerne möchte. Jetzt kommt eigentlich die Stelle, wo er, Sammy, diesem weißen Boris mal so richtig die Meinung sagen will. Und genau an dieser Stelle macht sich der Traum dann immer selbstständig. Statt dem weißen Boris mal so richtig eins auszuwischen, steht er, Sammy, im Traum auf, legt den Arm um Boris und sagt: »Neben mir ist noch ein Platz frei. Mach dir nichts aus den anderen. Ich weiß, wie es ist, wenn man anders aussieht. Mir ist es egal, ob du weiß oder braun bist.«

Wie gesagt, dieses Ende gefällt Sammy gar nicht. Aber es gelingt ihm einfach nicht, anders zu träumen. Vielleicht, weil er ja wirklich weiß, wie es ist, wenn man vor der Klasse steht und ausgelacht wird, weil man anders aussieht.

11

Er hat das Gleiche erlebt, als er vor einem halben Jahr neu in die Klasse gekommen ist. Seine Eltern sind von Essen, wo sie bis dahin gelebt hatten, in die neue Stadt umgezogen. Beide haben hier Arbeit und sogar eine Wohnung gefunden. Sie liegt in einem der großen Wohnblocks am Rande der Stadt. Schön ist es hier nicht: viele Häuser, wenig Grün, ein weiter Weg zur Arbeit. Aber der Vater hat, nachdem er wochenlang vergeblich gesucht hat, gemeint: »Wir müssen froh sein, wenn wir überhaupt etwas bekommen. Wir können es uns nicht aussuchen. Entweder ist die Kaution zu hoch oder die Wohnung ist schon vergeben, wenn sie uns sehen.«

Jedenfalls ist es ein Glück, dass Sammys Schule wenigstens direkt um die Ecke liegt. Die Mutter hatte ihn bereits am zweiten Tag morgens hingebracht und Frau Pinkepang übergeben. Er fand seine neue Lehrerin ganz nett. Trotzdem war ihm etwas mulmig zu Mute, als er hinter ihr in die Klasse marschierte.

Schlagartig wurde es ruhig, als sie ihn sahen. Vor diesem Moment hat er immer ein bisschen Angst. Wenn er irgendwo neu hinkommt, gucken ihn alle erst einmal neugierig an. Er kann in ihren Augen lesen, was sie denken: Wo kommt der denn her? Und: Was will der hier?

Während die Kinder seiner neuen Klasse ihn angestarrt hatten, konnte er mit einem Blick sehen, wer noch ein wenig anders war. Hinten in der vorletzten Reihe saßen zwei mit schwarzen Haaren. Mario und Silvio aus Portugal, wie er später erfuhr. Dass die beiden Mädchen in der ersten Reihe, Marta und Agnieska, aus Polen kommen, hat er nicht sofort gesehen. Schließlich haben sie blonde Haare und blaue Augen wie viele Deutsche. Nur wenn sie reden, merkt man, dass sie woanders herkommen.

Frau Pinkepang hatte dann gesagt, er solle ein wenig von sich erzählen, wo er herkomme und so. Sammy hatte angefangen und es gab zunächst großes Gelächter.

»Wo kommst du her?«, fragte ein großer Junge mit roten Haaren und einem Gesicht, übersät mit Sommersprossen. Boris hieß er.

»Aus Essen«, wiederholte Sammy.

»Mensch, red keinen Quatsch. Ich hab einen Onkel in Essen. Der sieht aber ganz normal aus.«

Die Klasse lachte.

»Ich bin in Essen geboren«, sagte Sammy wütend.

»Haha«, lachte Boris. »Das glaubt dir keiner. Essen liegt in Deutschland und bei uns leben keine wie du.«

Frau Pinkepang musste immer wieder für Ruhe sorgen, damit Sammy erzählen konnte.

»Meine Eltern sind aus Eritrea. Sie kamen hierher, weil Krieg war. Sie leben schon seit zwölf Jahren hier. Wir haben in Essen gewohnt. Jetzt hat mein Vater hier eine Stelle bekommen und meine Mutter auch.«

Sammy war froh, als die Fragestunde vorüber war. Frau Pinkepang schaute sich suchend in der Klasse um.

»Dann wollen wir mal sehen, wo wir dich hinsetzen«, sagte sie freundlich zu Sammy.

Ausgerechnet neben Boris war noch ein Platz frei. Der andere neben einem Mädchen. Boris machte ein entsetztes Gesicht, als der suchende Blick von Frau Pinkepang auf dem Platz neben ihm hängen blieb.

Er schüttelte wild seinen Kopf. »Ich will den aber nicht!«

Die Lehrerin machte den Mund auf, um Boris zurechtzuweisen, als das Mädchen aufsprang und sagte: »Er kann hier sitzen.«

Boris lachte verächtlich.

»Brauchst du einen neuen Freund, Sonia, oder was? Na, da kommt der Milchkaffee ja gerade richtig.«

Daraufhin warf das Mädchen ihm ihr Lesebuch an den Kopf. Boris wollte sich auf sie stürzen, wurde aber von Frau Pinkepang im letzten Moment festgehalten und erst einmal vor die Tür geschickt. Im Hinausgehen drohte er dem Mädchen mit der Faust.

Das Ganze artete in der Pause dann in eine Prügelei zwischen Sammy und Boris aus. Bis heute weiß keiner, wer gesiegt hätte, denn der Hausmeister ging dazwischen und schickte beide zum Rektor.

So endete der erste Schultag für Sammy mit einer blutigen Nase, einer Verwarnung vom Rektor und dem Beginn einer Freundschaft mit Sonia.

12

»Milchkaffee!« Dieser Name, den Boris ihm gleich in der ersten Stunde verpasst hat, bleibt an ihm hängen. Allerdings wird er nur von Boris und seinen Freunden so genannt. Meist geht er ihnen aus dem Weg, er hat schließlich genug andere Freunde.

Nur wenn es besonders schlimm ist, sagt er leise »Streuselkuchen!« zu Boris. Nur ganz leise, gerade so, dass es ausreicht, seinen Ärger loszuwerden, aber von Boris nicht gehört wird.

So wie zu Beginn vieler Sportstunden. Jedes Mal, wenn sie sich im Umkleideraum umziehen, fängt Boris von neuem an. »Wer fürchtet sich vorm Schwarzen Mann?«, schreit er dann laut durch den Raum, wenn Sammy seine Hose auszieht und jeder seine braunen Beine sehen kann.

»Niemand!«, kommt die Antwort von Boris' Freunden.

»Und wenn er aber kommt?«

»Dann laufen wir!«

Alle rasen dann um die Garderobenständer und kreischen auf, wenn sie zufällig Sammy berühren.

Inzwischen weiß Sammy, dass es ein altes Kinderspiel ist, bei dem keiner darüber nachdenkt, was die Worte eigentlich bedeuten. Jedenfalls normalerweise. Boris weiß genau, warum er ausgerechnet dieses Spiel immer wieder macht.

Wie oft hat Sammy sich vorgenommen, einfach nicht hinzuhören, wenn sie anfangen. Zu Hause denkt er sich ganz kluge, freche Sprüche aus, mit denen er Boris zeigen will, wie wenig es ihm ausmacht, wie kindisch er ihn findet.

Morgens aber, wenn es tatsächlich wieder losgeht, ist sein Gehirn wie leer, alle klugen Sprüche sind wie weggeblasen.

Er steht dann da und ärgert sich jedes Mal wieder, vor allem, weil er sich so alleine fühlt.

Nicht etwa dass alle Jungen mitspielen, nein, nicht einmal die Hälfte ist auf Boris' Seite, aber die anderen stehen nur da und machen gar nichts. Pit wühlt in seinem Turnbeutel, Klaus tut so, als unterhalte er sich über etwas ganz Wichtiges mit Sascha. Jedes Mal das gleiche Bild.

Hinterher, wenn Boris mit seinen Freunden lachend in die Turnhalle abgezogen ist, kommt Pit oft zu ihm und legt den Arm um ihn.

»Mach dir nichts draus, Sammy. Der Boris ist ein alter Angeber«, tröstet er ihn.

Der Pit ist schon okay und die anderen auch, und doch wünschte Sammy sich, sie würden nicht erst hinterher zu ihm halten, sondern einmal, nur ein einziges Mal, wenn Boris dabei ist.

Aber sie haben Angst vor Boris, und darum schweigen sie, wenn er da ist.

Seit einiger Zeit zieht Sammy in den Sportstunden, egal wie warm es ist, nur noch seinen Trainingsanzug an. Er schämt sich, weil er so braun ist.

Sonia hat er davon nichts erzählt. Sie kann schrecklich zornig werden und auf Boris ist sie ohnehin nicht gut zu sprechen. Nein, mit Boris muss er alleine fertig werden.

Wenn er nur wüsste, wie.

13

Sammy steht leise auf und stellt sich im Badezimmer vor den Spiegel. Kritisch betrachtet er sein dunkles Gesicht. Von der kleinen Nase, den dunklen Augen bis hin zu den schwarzen Locken.

Auf dem Nachttisch seiner Mutter liegt eine Zeitschrift. Vorne auf dem Titelblatt ist ein Junge abgebildet. Blonde Locken, weiße Haut, ein freches Lachen. Sammy holt sich die Zeitung und stellt sich wieder vor den Spiegel.

Eine Weile vergleicht er sich mit dem Bild des Jungen. Dann sucht er im Kosmetikschrank der Mutter nach ihrer Creme und schmiert sich die weiße Masse dick aufs Gesicht.

Irgendwo in ihrem Kleiderschrank hat seine Mutter ihre Badekappe liegen. So eine gelbe mit Rüschen obendrauf. Leise, um den Vater nicht aufzuwecken, schleicht er ins Schlafzimmer zurück. Endlich findet er sie. Vor dem Spiegel stülpt er sie sich über seine schwarzen Locken.

Er legt den Kopf schief und schaut sich sein Gesicht an. Schminke und Verkleidung haben nicht ganz die Wirkung, die er sich erhofft hat. Er ähnelt eher dem Clown im Zirkus, in dem er neulich mit Sonia und ihren Eltern gewesen ist.

Ob sie ihn so lieber mögen würde?

Er schüttelt den Kopf. Sonia ist es bestimmt egal. Und Boris? Würde er sich besser mit ihm verstehen, wenn seine Haut weiß wäre?

Überhaupt ist die Sache mit der Hautfarbe etwas, was er wohl nie so ganz verstehen wird. Da versuchen doch viele Menschen in Deutschland, im Sommer eine möglichst braune Haut zu bekommen. Stundenlang liegen sie am Strand in der Sonne, dick eingecremt mit Sonnenöl.

»Braun zu sein gilt als schön. Eine braune Farbe im Gesicht bedeutet hier, dass du gesund bist.«

So hat es ihm die Mutter im letzten Sommer im Urlaub an der Nordsee erklärt. Verstanden hat er es nicht. Für ihn bedeutet *braun sein*, dass er überall auffällt. Er wäre lieber weiß gewesen.

In diesem Moment kommt seine Mutter herein. Er zuckt zusammen, denn sie hat es gar nicht gerne, wenn er an ihre Sachen geht. Ängstlich schaut er sie an, aber sie scheint nicht ärgerlich zu sein. Sie steht nur da und starrt ihn erschrocken an.

Statt zu schimpfen, kommt sie zu ihm und zieht ihm die Badekappe vom Kopf. Dann nimmt sie ein Handtuch und fängt an die Creme abzuwischen.

»Autsch, du tust mir weh.«

Sammy dreht sich und versucht wegzulaufen.

Sie hält ihn mit einer Hand fest, drückt seinen Arm so stark, dass er vor Schmerzen aufschreit. Es stört sie nicht, dass er jammert. Sie reibt immer fester an seinem Gesicht herum, als wollte sie die Haut mit abreiben. Erschrocken bemerkt er, dass sie weint.

Endlich ist die Creme bis auf den letzten Rest abgewischt. Sein Gesicht sieht aus wie eine große rote Tomate.

»Mach das nie wieder, hörst du. Deine Haut wird immer braun bleiben und mir gefällst du so. Ich will dich nicht weiß haben. Wichtig ist doch nur, wie du hier und hier drinnen bist.« Und dabei klopft sie an seinen Kopf und an sein Herz.

»Und jetzt komm frühstücken.«

Eigentlich hat Sammy keinen Hunger mehr, sein Gesicht brennt, seine Hand tut weh, aber er folgt ihr brav in die Küche und setzt sich an den Tisch.

An diesem Morgen geht Sammy nicht zur Schule. Er steht neben der Mutter, als sie die Entschuldigung schreibt, die er Frau Pinkepang am Montag mitbringen soll:

»Sehr geehrte Frau Pinkepang,

Sammy hatte gestern Abend einen Unfall. Dabei hat er sich die rechte Hand verletzt. Darum kommt er heute nicht zur Schule. Ich bitte sein Fehlen zu entschuldigen. Hochachtungsvoll ...«

Sammy ist empört: »Wieso Unfall? Schreib, dass das ein Überfall war.«

Die Mutter schüttelt den Kopf und drückt ihm die Entschuldigung in die Hand.

»Lass nur, Sammy. Sagen wir lieber, es war ein Unfall. Je weniger du darüber redest, desto besser. Den Leuten ist es peinlich, so etwas zu hören, weil sie sich dann mitschuldig fühlen, obwohl sie doch nur dabeigestanden haben. Viele meinen, wir gehören hier nicht richtig her, verstehst du. Wir sollten besser in unsere Heimat zurückgehen und nicht hier den Leuten die Arbeit und die Wohnungen wegnehmen. Das denken sehr viele. Aber nur wenige werfen Steine. Daran musst du immer denken.«

»Und ich? Wo ist denn meine Heimat? Wo gehöre ich denn hin?«

Sie streicht ihm über den Kopf.

»Hierher, Sammy. Du gehörst hierher. Du bist doch hier geboren.«

Er schaut nachdenklich auf seine Hand. Er gehört hierher. Das hat er auch immer gedacht. Wo sollte er sonst auch hingehören?

Aber seit gestern Abend ist er sich da nicht mehr so sicher.

14

Während Sammy zu Hause in seinem Zimmer hockt und nicht so recht weiß, was er mit seinem freien Tag anfangen soll, ahnt er nicht, dass es heute Morgen in der Schule seinetwegen schon eine Schlägerei gegeben hat.

Sonia hat sich mit Boris geprügelt.

Das Ergebnis: eine blutende Nase, eine Bisswunde, die der Hausmeister mit Jod behandelt hat, und dann ein Gespräch der Lehrerin mit der Klasse.

Angefangen hatte es vor der ersten Stunde. Als Sonia in die Klasse kam, stand Boris auf seinem Tisch und schilderte mit wilden Handbewegungen, was sich am Abend vorher ereignet hatte.

»Das hättet ihr sehen sollen! Erst sind sie mit Fackeln aufmarschiert, dann haben sie die Brandbomben geworfen. Und rote Farbe, die die Wände runtergeronnen ist.« Boris schüttelte sich. »Sah aus wie echtes Blut.«

Die anderen Schüler standen um ihn herum und hörten zu.

»Mensch!«, rief Timo gerade aufgeregt. »Warum hast du nicht angerufen? Das hätte ich auch gerne miterlebt.«

»Ich habe es heute Morgen in den Nachrichten gehört«, erzählte Marta.

Sonia setzte sich auf ihren Platz und drehte Boris den Rücken zu. Sie war wütend, weil er es so erzählte, als wäre es nur eine spannende Geschichte gewesen, gestern Abend.

Als Boris Sonia bemerkte, unterbrach er seine

Erzählung und rief ihr zu: »Na, wo ist denn dein Freund geblieben? Hat wohl Angst, was?«

Da war Sonia aufgestanden, zu Boris gegangen und hatte ihm ins Gesicht gespuckt. Einfach so, ohne ein Wort zu sagen.

Boris war für einen Moment sprachlos, dann aber war er vom Tisch gesprungen und hatte sich auf Sonia gestürzt.

Als die Lehrerin in die Klasse kam, biss Sonia gerade Boris in die rechte Hand und er schlug ihr mit der linken auf die Nase.

»Was ist denn hier los?«

Großes Schweigen. Dann redeten alle gleichzeitig.

Frau Pinkepang musste schreien, um sich verständlich zu machen. Das Diktat wurde zunächst einmal auf die vierte Stunde verschoben und Boris zum Hausmeister geschickt, um sich ein Pflaster zu holen. Dann kümmerte sie sich um Sonia, legte ihr den feuchten Tafelschwamm in den Nacken und wischte ihr das Blut aus dem Gesicht.

»Müsst ihr zwei euch immer zanken?«

Sonia schaute aus dem Fenster und schwieg. Als nach kurzer Zeit Boris wieder erschien, war auch Sonias Nase wieder in Ordnung.

»So, und nun klären wir erst einmal in Ruhe,

was hier los gewesen ist. Aber in Ruhe und der Reihe nach.«

»Sie hat mich angespuckt, die dumme Kuh.«

Das war Boris, dem das Jod auf seiner Wunde brannte. Außerdem hatte der Hausmeister ihn ausgelacht, als er hörte, was mit seiner Hand passiert war.

»Du bist mir einer! Lässt dich von einem Mädchen beißen!«

Wie gesagt, Boris war wütend. Außerdem war er ärgerlich, weil er gegen Sonia nicht ganz klar gewonnen hatte. Nur ein Unentschieden gegen ein Mädchen, das war wirklich nicht viel.

»Er hat sich über Sammy lustig gemacht.«

So ganz langsam kam dann die Geschichte mit den Steinen und den zerbrochenen Fensterscheiben vom vorigen Abend heraus.

Boris erzählte, wie er es erlebt hatte.

»Ich war auf meinem Zimmer, als es draußen laut wurde. So Typen mit Fackeln zogen vor dem Haus gegenüber auf. Mein Vater und ich standen am Fenster. Später sind wir dann auf den Balkon gegangen, weil wir von da aus besser sehen konnten.

Die Typen sangen und schwenkten ihre Fackeln. Dann warfen sie Steine und Fenster gingen zu Bruch.

Mein Vater sagte, sie schmeißen die Scheiben

von den Ausländern ein. Weil sie wollen, dass sie zurückgehen, wo sie hergekommen sind. Weil wir gar nicht mehr wissen, wohin mit ihnen.«

»Und was habt ihr dann gemacht?«, wollte die Lehrerin wissen.

»Nix«, sagte Boris. »Gar nix haben wir gemacht.«

»Du lügst«, schrie Sonia ihn an. »Du hast dagestanden und zugeschaut.«

»Sag ich doch!«, schrie Boris zurück. »Nix haben wir gemacht! Wir haben keine Steine geworfen. Der Mann über uns hat geklatscht. Aber ich nicht und mein Vater auch nicht.«

»Zuschaun und gar nichts machen ist genauso schlimm.«

Das wollte Boris nicht einsehen. Aber die Lehrerin gab Sonia Recht.

»Wer dasteht und zuschaut, ist schon halb einverstanden mit den Steinewerfern. In Gedanken wirft er die Steine mit. Er traut sich nur nicht, es auch wirklich zu tun.

Und weil so viele dastehen und zuschauen, haben die Steinewerfer besonders viel Mut. Sie spüren, dass die Zuschauer auf ihrer Seite sind.«

»Aber was hätten wir denn machen sollen?«, fragte Boris.

Die Lehrerin gab die Frage an die Kinder weiter.

»Er hätte rübergehen können zu Sammy.«

»Das hätte mein Vater nie erlaubt.«

»Oder anrufen. Ob er Hilfe braucht.«

»Dein Vater hätte mitgehen können.«

»Wenn alle ›Buh!‹ gerufen hätten oder ›Haut ab!‹, dann wären sie vielleicht abgezogen.«

»Wir haben auch auf dem Balkon gestanden. Aber meine Mutter hat dann die Polizei angerufen.«

Das war Frauke, der es auf einmal sehr wichtig war, ihren Klassenkameraden mitzuteilen, dass sie nicht nur dagestanden und zugeschaut hatte. Ihre Mutter hatte etwas unternommen.

»Hast du nicht gewusst, dass es auch Sammys Fenster war?«, wurde Boris von Sven gefragt.

Da wurde er zum ersten Mal verlegen. Er stotterte und bekam einen roten Kopf. Er brauchte nichts mehr zu sagen. Sie alle wussten, dass Boris Sammy nicht ausstehen konnte.

Boris war Klassenbester, das war immer so gewesen, seit der ersten Klasse. Er war sehr gut in Mathe und Deutsch, super beim Fußball und im Wettlauf, und selbst in Musik gehörte er zu den Besten. Schließlich hatte er seit Jahren Klavierunterricht. Auf Klassenfesten und bei Weihnachtsfeiern, wenn sie den Eltern Gedichte vortrugen oder Weihnachtsmusik machten, gehörten seine Auftritte mit zu den Höhepunkten.

Jeder in der Klasse akzeptierte das und selbstverständlich war er auch Klassensprecher bei den Jungen. Er hatte nie eine ernst zu nehmende Konkurrenz gehabt, bis auf Sonia, die Klassensprecherin der Mädchen, aber die zählte bei Boris nicht so richtig, schließlich war sie ja *nur* ein Mädchen.

Dann kam Sammy. Nie hätte Boris es sich träumen lassen, dass ausgerechnet Sammy seine Stellung als Klassenbester gefährden könnte. Als bei der ersten Klassenarbeit in Mathe Sammy genau wie er null Fehler hatte, glaubte er an einen Zufall. Dass Sammy dann aber auch im Diktat keinen Fehler machte und im deutschen Aufsatz sogar eine bessere Note bekam als Boris, konnte er nicht fassen.

Noch viel weniger konnten das aber Boris' Eltern begreifen.

»Du wirst dich doch nicht von so einem überrunden lassen«, sagte Boris' Vater, als er erfuhr, dass sein Sohn nur den zweitbesten Aufsatz geschrieben hatte. »Wieso schreibt der besser Deutsch als du? Ich hab seine Eltern auf dem Elternabend gesehen. Die kommen aus Afrika. Wieso kann ihr

Sohn dann bessere Aufsätze schreiben als du? Streng dich gefälligst ein bisschen mehr an!«

»Sammy ist in Essen geboren. Der spricht Deutsch genauso gut wie wir«, brummelte Boris.

Aber das ließen seine Eltern nicht gelten. Sie erwarteten einfach von ihm, dass er bessere Noten schrieb als dieser Ausländer.

Seinen Ärger zu Hause ließ er dann in der Schule an Sammy aus. Er versteckte Sammys Turnzeug und, noch schlimmer, steckte den Anspitzer von Sven und das Lineal von Anja in Sammys Schultasche.

Es kam ziemlich schnell heraus, dass Boris dahintersteckte, aber für Sammy waren es ein paar unangenehme Stunden, in denen er als Dieb verdächtigt wurde.

15

Und als dann die Sache mit dem Orchester kam, war es ganz aus. Es gab ein Klassenorchester, auf das sie alle sehr stolz waren. Sie hatten sogar den letzten Wettbewerb ihrer Schule gewonnen und übten jetzt für die Stadtausscheidung. Als Hauptpreis hatte eine große Bank eine einwöchige Reise für die ganze Klasse an die Nordsee gespendet.

Diesen Preis wollten sie unbedingt gewinnen und so übten sie seit Wochen für den großen Auftritt.

Eine der wichtigsten Wettbewerbsbedingungen war, dass alle Schüler und Schülerinnen einer Klasse mitmachen mussten. Zum Glück gab es einige, die von zu Hause aus Flötenunterricht hatten, zwei konnten Gitarre spielen. Für die anderen hatte Frau Pinkepang jede Menge Rasseln, Schlagzeuge, Xylofone, große und kleine Trommeln und Triangeln organisiert, so dass wirklich jeder beteiligt war.

Die wichtigen Klavierstellen spielte natürlich Boris, jedenfalls zunächst, denn dass Sammy Klavier spielen konnte, das ahnte niemand. Erst als Boris an einem Nachmittag bei einer Probe fehlte und Frau Pinkepang verzweifelt nach einem Ersatz suchte – sie selber musste ja schließlich das Orchester dirigieren –, hatte Sammy sich gemeldet.

»Du kannst Klavier spielen?«, hatte sie ganz erstaunt gefragt.

Und wie er das konnte. Es klappte sogar gleich beim ersten Mal fast ohne Fehler, obwohl er die Stücke vorher nicht einmal geübt hatte.

Als Boris bei der nächsten Probe wiederkam, erlebte er eine böse Überraschung. Er spielte, wie gesagt, gut, aber Sammy war besser. Das mussten selbst Boris' Freunde zugeben. Und für den Wettbewerb brauchten sie den Besten.

Boris konnte es nicht fassen. Da fehlte er ein einziges Mal und schon hatte ihn dieser Sammy von seinem Klavier vertrieben.

Frau Pinkepang hatte schließlich einen Kompromiss gefunden: Die zwei leichteren Stücke sollte Boris spielen. Das lange, sehr schwierige würde Sammy einüben.

Boris hatte sich damit abgefunden, aber verziehen hatte er es Sammy nicht.

Und darum dachten an diesem Morgen die meisten Kinder in der Klasse, dass Boris sich bestimmt sogar gefreut hatte, als Sammys Fensterscheibe eingeschlagen wurde.

»Aber es sind doch zu viele Ausländer hier. Die sehen alle ganz anders aus. Mein Vater sagt, sie passen nicht hierher. Und freiwillig geht keiner zurück. Sie nehmen uns die Arbeit weg und die Wohnungen. Und meine Tante findet keinen Kindergartenplatz für ihre Tochter. Aber sie sagt, die Türkin aus dem Nachbarhaus, die hat gleich für alle sechs Plätze bekommen«, fing Boris wieder an.

Die Lehrerin ließ ihn reden. Dann ging sie zum Fenster und beugte sich hinaus. Als sie wieder hochkam, hielt sie einen großen Stein in der Hand.

Damit ging sie zu Boris, nahm seine Hand und legte den Stein hinein.

»Es geht jetzt nicht um Arbeit und Wohnungen, Boris. Und auch nicht um Kindergartenplätze. Ich kann deinen Vater und deine Tante auf der einen Seite verstehen. Aber wir sprechen hier über Steine. Über Steine, die auf Menschen geworfen wurden.«

»Ich habe nicht geworfen. Ich habe nur zugeschaut, wie die anderen auch.«

»Aber es hat dir Spaß gemacht. Du weißt genau, wo Sammy wohnt«, schrie Sonia wütend.

Als es zur Pause schellte, ließ Boris den Stein wie eine heiße Kartoffel auf den Boden fallen und rannte aufs Klo, wo er sich bis zum Ende der Pause einschloss.

16

Zu allem Überfluss ruft Frau Pinkepang Boris am Ende der letzten Stunde auch noch zu sich. Sie wartet, bis alle anderen Schüler die Klasse verlassen haben, und sagt dann zu ihm: »Du wohnst doch in der Nähe von Sammy. Bring ihm bitte die Hausaufgaben und erkläre ihm, was wir in Mathe gemacht haben.«

Boris reißt vor Schreck seine Augen ganz weit auf.

»Ich?«, fragt er entsetzt. »Ich soll da hingehen? Warum nicht Sonia? Die hockt sowieso jeden Tag bei ihm.«

Frau Pinkepang schaut ihn mit diesem Blick an, den sie immer hat, wenn sie keine Widerrede mehr zulassen will. Normalerweise kann man ganz gut mit ihr diskutieren. Aber es gibt Situationen, da ist es ihr völlig egal, was die Schüler denken. Da setzt sie sich durch.

Und so eine Situation ist gerade in diesem Moment. Das spürt Boris ganz genau.

Also holt er tief Luft und pustet laut. Er hat eine ungeheure Wut im Bauch auf Sammy und Sonia und Frau Pinkepang, und überhaupt kann ihm die ganze Klasse gestohlen bleiben.

Aber er weiß auch genau, dass ihm nichts anderes übrig bleibt, als seine Sachen zu packen und bei Sammy vorbeizuschauen. Wütend kickt er eine leere Milchtüte quer durch die Klasse, was Frau Pinkepang erstaunlicherweise nicht einmal beanstandet.

Seine Freunde, die draußen vor der Tür auf ihn warten, beachtet er nicht. Er rennt an ihnen vorbei zum Fahrradständer. Dort trifft er zu allem Überfluss ausgerechnet auf Sonia. Für einen Moment überlegt er, ob er sie nicht fragen soll. Sie wird ohnehin heute zu Sammy gehen. Es ist reine Schikane, dass Frau Pinkepang ihn hinschickt.

Aber als Sonia an ihm vorbeirauscht und so tut, als sei er Luft für sie, da hätte er sich lieber die Zunge abgebissen, als ihr nachzufahren und sie zu fragen.

So langsam wie heute ist Boris noch selten nach Hause gefahren. Nur das eine Mal, als er den Aufsatz verhauen hatte, da hatte er es auch nicht eilig gehabt, seiner Mutter von der Fünf zu berichten.

Er fährt über den Hof, trägt sein Fahrrad in den Keller, steht vor der Haustür und weiß nicht recht, ob er jetzt gleich oder lieber erst heute Nachmittag ...

Dann beschließt er die Sache hinter sich zu bringen. Er rennt zu Sammys Haus und klingelt.

17

Sammy macht ihm die Tür auf, und als Boris sein Gesicht sieht, muss er beinahe lachen. Sammy ist dieser Besuch wohl genauso unangenehm wie ihm.

Entsprechend unfreundlich fällt dann auch die Begrüßung aus.

»Was willst du denn hier?«

Sammy schließt die Tür bis auf einen winzigen Spalt, durch den er misstrauisch zu Boris hinübersieht.

»Denk bloß nicht, dass ich freiwillig komme. Die Pinkepang schickt mich. Wegen der Hausaufgaben.«

Sammy denkt noch immer nicht daran, Boris in die Wohnung zu lassen. Er will nicht, dass er hereinkommt.

»Das mit den Hausaufgaben kannst du vergessen, ich kann nicht schreiben.«

Sammy öffnet die Tür ein wenig, damit Boris seine Hand, die dick mit einem Verband umwickelt ist, sehen kann. Boris fühlt sich sehr unangenehm und gleichzeitig irgendwie erleichtert. Wenn Sammy nicht schreiben kann, dann kann er ja gehen. Er dreht sich schon um, als ihm Mathe einfällt. Er soll Sammy ja die Aufgaben erklären. Und wie er die Pinkepang kennt, wird sie bestimmt sauer, wenn er jetzt so einfach geht.

Erklären kann man, ohne dass Sammy schreiben muss, wird sie sagen. Oh, was hat er für einen Zorn auf seine Lehrerin!

Dann holt er tief Luft und fängt noch einmal an.

»Ich soll dir Mathe erklären.«

»Ich bin heute krank. Da muss ich kein Mathe machen.« Sammy will schon die Tür zuknallen, als seine Mutter in den Flur kommt und die letzten Worte hört. Sie schiebt ihn zur Seite, öffnet die Tür und begrüßt Boris freundlich.

»Bist du ein Klassenkamerad von Sammy? Das finde ich aber nett von dir, dass du ihm die Aufgaben bringst. Wieso lädst du ihn nicht in die Wohnung ein?«, fragt sie Sammy ärgerlich. »Wenn er sich doch schon diese Mühe macht.«

»Freiwillig wäre der nie gekommen. Und außerdem muss man keine Aufgaben machen, wenn man krank ist.«

»Das könnte dir so passen. Er kann dir wenigstens erklären, was ihr gemacht habt.«

»Sonia kommt nachher. Die kann das viel besser erklären. Boris ist bestimmt froh, wenn er wieder gehn kann!«

Seine Mutter ist nun wirklich ärgerlich. Sie wirft ihm einen zornigen Blick zu und bittet Boris ins Wohnzimmer, holt ihm, obwohl er gar nichts möchte, ein Glas Orangensprudel und stellt eine Dose mit Keksen auf den Tisch.

»So«, sagt sie zum Abschluss freundlich. »Und nun lernt mal tüchtig.«

Boris ist das Ganze sehr unangenehm. Er hat einen roten Kopf und schwitzt fürchterlich. Die Freundlichkeit der Mutter ist noch viel schlimmer als Sammys Ablehnung. Denn Sammy hat ja im Grunde Recht. Er wäre nie im Leben hierhergekommen, wenn die Pinkepang ihn nicht gezwungen hätte.

Während er aus lauter Verlegenheit einen Keks nach dem anderen knabbert, schaut er sich neugierig um.

Das Wohnzimmer sieht fast so aus wie bei ihm zu Hause: helle Kiefernmöbel, eine Schrankwand mit Büchern. Auf dem Tisch steht eine Vase mit Blumen. Selbst eine Stereoanlage mit zwei riesigen Lautsprechern und der Fernsehapparat mit einem Videorekorder fehlen nicht.

Sammy, der misstrauisch jede Bewegung von Boris beobachtet, unterbricht seine Gedanken ziemlich grob.

»Suchst du was Bestimmtes? Kann ich dir vielleicht behilflich sein? Möchtest du sehen, was in den Schränken ist?«

Wenn Boris nicht schon einen roten Kopf gehabt hätte, dann hätte er ihn jetzt bekommen.

Verlegen sagt er: »Bei dir sieht es so aus wie bei mir. Ich meine ...«

»Was hast du erwartet? Wie soll es denn aussehen?«

Ja, was hat er eigentlich erwartet? Wilde afrikanische Masken? Dass es irgendwie nach fremden Kräutern stinkt? Dass die Mutter nicht so richtig Deutsch kann? Boris weiß es selber nicht so genau.

Sein Vater sagt immer: »Diese Ausländer kommen doch alle aus dem Busch, vor allem die Schwarzen. Die haben in Hütten gelebt. Und jetzt steckt man sie hier in Wohnungen, wo sie noch nie ein Klo mit Wasserspülung benutzt haben, von Kühlschrank und Heißwasserboiler ganz zu schweigen. Ihr solltet mal sehen, wie das dann nach drei Wochen aussieht. Kühlschrank kaputt, Klo verstopft. Und unsereins muss das wieder reinigen. Natürlich auf Kosten des Staates.«

Boris' Vater arbeitet bei einer kleinen Elektrofirma, die für das Sozialamt auch verschiedene Asylbewerberheime und Wohnungen betreut.

Vater würde sich jedenfalls wundern, denkt Boris, wenn er in diese Wohnung käme. Ganz unauffällig streift er mit dem Finger über die Tischplatte. Kein Staubflöckchen, obwohl die Mutter immer behauptet, dass es in solchen Wohnungen dreckig und chaotisch zugehe.

»Na, was ist?« Sammy wird langsam ungeduldig. »Bist du zum Essen gekommen oder was?«

Er trommelt mit den Fingern seiner linken Hand einen Marsch auf die Tischplatte, während er Boris beobachtet.

Hastig schluckt der den letzten Keks hinunter und holt sein Matheheft aus der Tasche. So knapp wie möglich erklärt er die neuen Aufgaben, sodass Sammy Mühe hat mitzukommen.

»Das hätte ich auch in der nächsten Mathestunde kapiert«, meint Sammy schließlich, als Boris sein Heft wieder wegpackt.

»Dafür hättest du nicht extra herkommen müssen.«

Boris ist der gleichen Meinung. So schwer waren die Aufgaben gar nicht und Sammy ist in Mathe schließlich zusammen mit Boris Klassenbester.

Aber es war ja auch nicht seine Idee gewesen. Er hat gleich gewusst, dass die Pinkepang ihn nur ärgern wollte. Aber das kann er Sammy nicht sagen, dann müsste er von Anfang an erzählen, von der Prügelei mit Sonia und dem Klassengespräch, und das will er nicht.

Hastig steht er auf und packt seine Schultasche.

»Kommst du am Montag wieder? Ich meine, deine Hand … Tut es noch weh?«

Sammy gibt keine Antwort. Er versteckt seine Hand mit dem Verband hinter seinem Rücken und wartet darauf, dass Boris endlich geht.

Im Flur steht Sammys Mutter. Sie begleitet ihn zur Tür und bedankt sich noch einmal.

»Komm doch mal wieder. Sammy wird sich bestimmt freuen«, sagt sie zum Abschied.

Freiwillig bestimmt nicht, denkt Boris, als sich die Tür hinter ihm schließt. Die Mutter ist ja ganz okay, aber Sammy ... Wenigstens hat er es jetzt hinter sich.

Sammy beobachtet vom Fenster aus, wie Boris über den Hof zu seinem Haus hinüberläuft. Wütend tritt er mit dem Fuß gegen die Heizung. Seine Mutter, die ihm verwundert zuschaut, fasst ihn am Arm und dreht ihn zu sich um.

»Jetzt hör mir mal gut zu, mein Lieber. Ich kann verstehen, dass du schlechte Laune hast, weil du im Haus herumsitzen musst. Und dass deine Hand wehtut. Aber das ist kein Grund, deinen Freund so unhöflich zu behandeln. Schließlich hat er sich die Mühe gemacht und ist nach der Schule noch hierhergekommen, um dir die Aufgaben zu erklären. Sei doch froh, dass du solche Freunde hast.«

»Pfff!«, macht Sammy verächtlich. »Der musste kommen. Die Pinkepang hat den geschickt, wollen wir wetten? Das machen wir immer so, wenn einer krank ist. Und außerdem ist er nicht mein Freund.«

Das Letzte stößt er so zornig hervor, dass die Mutter ihn erstaunt anschaut.

»Na, hör mal. Der ist doch ganz nett. Was hast du nur gegen ihn?«

Wütend schiebt Sammy seine Mutter zur Seite. »Du hast keine Ahnung«, schreit er sie an und rennt in sein Zimmer, wo er die Tür hinter sich zuschlägt.

18

Zur selben Zeit sitzt Boris' Vater auf einer Baustelle und macht zusammen mit seinen Kollegen Mittagspause. An diesem Tag gibt es nur ein Gesprächsthema: sein Bild in der Zeitung.

Es ist wirklich ein gutes Foto geworden. In Großaufnahme steht er da im Hof, mit dem Mülleimer in der Hand. Ein wenig ärgert er sich, dass der Eimer mit aufs Bild gekommen ist. Schließlich muss ja nicht jeder wissen, dass er abends immer den Müll nach draußen bringt.

Neben dem Foto steht zentimeterdick ein Satz, den er im Interview gesagt hat:

»STEINE SIND FALSCH. ABER DIE TUN WENIGSTENS ETWAS!«

Seine Kollegen klopfen ihm auf die Schulter: »Das hast du gut gesagt. Erzähl doch mal.«

Und er erzählt, wie am Abend, als er mit seiner Familie vor dem Fernseher saß, die Jugendlichen mit ihren Fackeln angerückt kamen. Die Kollegen sitzen um ihn herum und nicken zustimmend.

»Man kann doch nicht einfach zulassen, dass aus Afrika, Polen, Russland und Sri Lanka die Menschen zu uns rüberschwappen«, sagt einer.

»Recht hat er«, stimmt ein anderer zu. »Wenn du durch unseren Stadtteil gehst, da gibt es Straßen, da denkst du, du bist in Istanbul. Frauen mit Kopftüchern, türkische Geschäfte, Männer mit finsteren Blicken. Meine Frau macht um bestimmte Straßen schon einen großen Bogen, sie geht lieber einen Umweg als dort hindurch.«

Unten am Ende des Artikels ist noch ein kleines Foto abgebildet. Ein Junge mit schwarzen Locken und brauner Haut schaut durch ein Fenster, dessen Scheibe zerbrochen ist. Mit großen Augen sieht er ängstlich nach draußen.

Boris' Vater stutzt, schaut genauer hin. Den Jungen kennt er doch von irgendwoher.

»In der Klasse meines Sohnes sind vierzig Prozent Ausländer. Wie sollen die Kinder da noch richtig Deutsch lernen?«

Während seine Kollegen hitzig weiterdiskutieren, grübelt Boris' Vater über dem kleinen Foto. Geht der Junge nicht in Boris' Klasse? Sammy heißt er oder so ähnlich. Die Eltern waren auf dem letzten Elternabend. Freundliche Menschen. Und ihr Sohn ist sogar sehr gut in der Schule, macht seinem Boris direkt Konkurrenz, sogar im deutschen Aufsatz.

»Was meinst du, Franz?«

Boris' Vater schaut erschrocken hoch.

»Haben wir nicht Recht?«

»Doch, doch, ich bin ganz eurer Meinung. Es sind einfach zu viele geworden.«

Er legt die Zeitung beiseite und nimmt seine Arbeit wieder auf. Während er dicke Kabel auf dem Fußboden verlegt, versucht er das Bild von Sammy, der aus der zerbrochenen Scheibe schaut, zu vergessen.

Es gelingt ihm nicht. Was hat der Junge nur gedacht, als er die Menschen dort unten mit den Fackeln gesehen hat? Ob ihm klar ist, warum sie den Stein in sein Fenster geworfen haben? Ob er wohl Boris und ihn gesehen hat, dort oben auf dem Balkon?

Wenn er geahnt hätte, dass ein Kind, ein Klassenkamerad von Boris, da oben stand, wäre er bestimmt zu ihm gegangen, hätte ihm geholfen. Es soll ja sogar gebrannt haben.

Wäre er tatsächlich gegangen?

Boris' Vater schüttelt sich, als wolle er seine Gedanken abschütteln wie ein Hund die Wassertropfen, wenn er nass geworden ist. Er fühlt sich etwas unwohl, weil er diese Frage nicht ganz klar mit einem »Ja!« beantworten kann.

19

Als Boris' Vater abends nach Hause kommt, ist es schon dunkel. Er eilt über den Hof, wobei er den Blick nach unten richtet. Er will das Haus mit den zerbrochenen Scheiben nicht sehen.

Ein Nachbarsehepaar winkt ihm schon von weitem zu.

»Mensch, Herr Meier. Haben Sie die Zeitung schon gelesen? Ganz dick mit Foto sind Sie drin. Gratuliere.«

Boris' Vater lächelt etwas verkrampft.

»Danke, ich habe es gesehen. Es ist ganz gut geworden.«

Er will weiter, aber der Nachbar hält ihn zurück.

»So ganz unter uns: Was Sie gesagt haben, das ist mir so richtig aus der Seele gesprochen. Aber wer hat schon den Mut, das mal offen auszusprechen? Alle Achtung! Das musste mal gesagt werden.«

Boris' Vater verabschiedet sich hastig und eilt weiter.

Plötzlich kommt ihm eine kleine Gestalt entgegengelaufen und stößt mit ihm zusammen, fällt hin.

Erschrocken bückt er sich, um dem Jungen aufzuhelfen. Dann starren sich beide an. Sammy fährt zurück, als er Boris' Vater erkennt. Auch Herr Meier ist sprachlos. Der Junge aus der Zeitung!

»Hast du dir wehgetan?«

Kopfschütteln.

»Was machst du hier draußen? Es ist schon dunkel. Ich an deiner Stelle würde nicht hier herumlaufen.«

Sammy schaut ihn mit seinen dunklen Augen an. Sie denken beide an das Gleiche. Wenn die Jugendlichen zurückkämen, wer weiß, was sie mit Sammy machen würden.

Schrecklich, denkt Boris' Vater. Dass so ein Kleiner Angst haben muss, nur weil er eine dunkle Haut hat.

»Geh lieber nach Hause«, sagt er leise. »Es ist zu ... gefährlich. Du verstehst schon. Vielleicht kommen sie wieder.«

Sammy schüttelt den Kopf. Er geht zu den Mülltonnen und fängt an zu wühlen.

Völlig entgeistert beobachtet Herr Meier ihn. Schließlich, als schon die halbe Mülltonne verstreut auf dem Boden liegt, ein Triumphschrei. Sammy zieht seinen Teddy aus der Mülltonne und hält ihn hoch.

Angeekelt verzieht Herr Meier das Gesicht. Der Teddy ist mit Ketchup und Pizzaresten völlig beschmiert.

»Du, der sieht aber nicht mehr gut aus.«

»Eine Brandbombe hat ihn gestern getroffen«, sagt der Junge ganz leise. »Er ist angebrannt. Mein Vater hat ihn weggeworfen.«

Gemeinsam betrachten sie den Teddy, dem sein Aufenthalt in der Mülltonne den Rest gegeben hat. Der Mann beobachtet, wie dem Jungen die Tränen die Backen herunterlaufen. Plötzlich wirft Sammy den Teddy zurück und schaufelt mit beiden Händen den stinkenden Müll darüber. Dann läuft er, ohne ein Wort zu sagen, davon, zurück zu seinem Haus.

Boris' Vater schaut ihm nach. Als Sammy in der

Haustür verschwunden ist, betrachtet er nachdenklich die Mülltonne, holt tief Luft, stellt seine Aktentasche auf den Boden und beginnt die Mülltonne wieder auszuräumen.

Mit spitzen Fingern zieht er Essensreste, Papier und anderen Müll heraus und stapelt alles neben der Tonne. Der Geruch ist fast nicht zum Aushalten.

Zu allem Überfluss kommt in diesem Moment auch noch ein Nachbar daher, der seinen Mülleimer ausleeren will. Er macht ein merkwürdiges Gesicht, als er Herrn Meier über die Mülltonne gebückt sieht.

»Kann ich Ihnen helfen, Herr Nachbar? Haben Sie was Wichtiges verloren?«

Boris' Vater zuckt erschrocken zusammen. Zum Glück ist es dunkel, sonst hätte man sehen können, wie sein Gesicht dunkelrot anläuft.

»Da ... danke«, stottert er. »Ist nicht nötig. Ein ... ein Silberlöffel, altes Erbstück meiner Schwiegermutter, ist mir in den Müll gerutscht.«

»Na, dann fröhliches Suchen«, wünscht der Nachbar und geht.

Boris' Vater atmet auf. Und das alles wegen eines verdreckten Teddys. Wenn ihn seine Kollegen jetzt sehen würden. Nicht auszudenken.

Endlich findet er ihn. Angeekelt zieht er ihn unter einem braunen Kaffeefilter und glibberigen Essensresten hervor. Mit zwei Fingern hält er ihn möglichst weit von sich, klemmt sich seine Aktentasche unter den Arm und geht durch den Kellereingang ins Haus.

In der Waschküche schrubbt er zunächst unter fließendem Wasser mit sehr viel Waschpulver die Müllreste vom Teddy ab. Aus seinem Werkzeugschrank holt er dann eine Pinzette und eine feine Schere und macht sich an die Arbeit. Sorgfältig schneidet er ein verbranntes Haar nach dem anderen ab. Am Ende sieht der Teddy aus, als käme er gerade vom Friseur, der ihm einen Radikalschnitt verpasst hat.

Jetzt noch mit zwei Wäscheklammern an die Leine hängen, dann wird er bis morgen wohl trocken sein.

Todmüde, aber sehr zufrieden mit sich, begibt sich Boris' Vater nach Hause, wo ihn seine Frau leicht vorwurfsvoll empfängt. Er murmelt etwas von wichtiger Arbeit und Überstunden.

Später wird er ihr von dem Teddy erzählen. Aber jetzt ist er zu müde, um ihr begreiflich zu machen, warum er unbedingt am späten Abend die Mülltonne nach einem verdreckten Teddy durchsuchen und dann seinen kostbaren Feierabend in der Waschküche verbringen musste.

20

Am Montagmorgen ist die Welt für Boris zunächst wieder in Ordnung. An diesem Morgen ist er der Mittelpunkt der Klasse. Einige haben am Wochenende den Bericht in der Zeitung gelesen, in dem das Interview mit seinem Vater abgedruckt ist. Sven hat die Zeitung mitgebracht und die halbe Klasse ist um seinen Tisch versammelt, um Boris' Vater in der Zeitung zu sehen.

In diesem Augenblick kommt Sammy in die Klasse. Schlagartig wird es still. Alle starren auf seine Hand mit dem weißen Verband, die er aber ganz schnell hinter seinem Rücken versteckt.

Während die anderen betont lässig auf ihre Plätze gehen, stopft Sven hastig seine Zeitung in die Schultasche.

Sammy, der sich von Minute zu Minute unwohler fühlt, beschließt plötzlich, wieder nach Hause zu gehen. Er hält es einfach nicht länger aus, wie sie ihn alle anstarren. Dabei hat der Tag so gut begonnen.

Als er heute Morgen die Wohnungstür öffnete, saß mitten auf der Fußmatte sein Teddy. Zuerst hat er ihn gar nicht erkannt, weil er so kurz geschoren war. Jemand hatte ihn gewaschen und alle verbrannten Haare abgeschnitten. Um den Hals trug er ein Band mit einem Zettel. Darauf stand: »Nicht alle werfen mit Steinen!«

Wie gesagt, der Tag fing gut an. Aber jetzt ... Er ist schon an der Klassentür, als Sonia ihn am Arm packt und zu den anderen zieht. Verlegen stehen sie alle da und keiner weiß so recht, was er sagen soll.

»Tut's weh?«, fragt Daniel schließlich. Sammy schüttelt den Kopf.

»Du hast es gut, die nächsten Arbeiten musst du nicht mitschreiben.«

Das ist Anna, die sofort einen roten Kopf bekommt, als Sascha ihr einen Vogel zeigt.

»Bist du doof, wie kannst du so was sagen?«, zischt er ihr zu. Wütend wendet sich Anna ab und geht weg. Sie hat doch nur irgendetwas sagen wollen, weil die ganze Situation so peinlich ist.

An diesem Morgen sind alle froh, als Frau Pinkepang endlich erscheint und mit dem Unterricht beginnt. Auch sie erwähnt mit keinem Wort, was letzte Woche passiert ist. Sie sagt nur: »Schön, dass du wieder da bist, Sammy«, und fragt nicht einmal nach einer Entschuldigung für den letzten Freitag.

Obwohl Sammy den Brief der Mutter sowieso nicht abgegeben hätte. Er liegt bereits, in viele Schnipsel zerrissen, im Papierkorb auf dem Schulhof.

Nach der Pause ist Sport angesagt. Als Frau Pinkepang an diesem Morgen am Umkleideraum der Jungen vorbeigeht, traut sie ihren Ohren kaum. Sie hört eine helle Stimme rufen:

»Wer fürchtet sich vorm Schwarzen Mann?«

»Niemand!«, schreien andere.

»Und wenn er kommt?«

»Dann laufen wir!«

Es folgt ein wildes Getrampel und Gejohle.

Leise, damit niemand sie bemerkt, öffnet sie die Tür und schaut in den Umkleideraum. Eine Gruppe ihrer Schüler hüpft im Indianertanz um Sammy herum, der die Hände vor das Gesicht gelegt hat. Dabei heben und senken sie ihre Arme und stoßen schrille Schreie aus.

Mit einem kräftigen Stoß wirft Frau Pinkepang die Tür ins Schloss. Der Knall, der folgt, ist so heftig, dass die Garderobenständer wackeln. Die Tänzer dagegen kommen ruckartig zum Stehen, als wären sie auf einmal an einer Stelle festgenagelt. Es ist totenstill im Raum.

»Wer hat damit angefangen?«

Ganz leise stellt sie die Frage, aber aus jedem Wort hört man ihren Zorn heraus.

Schweigen. Schließlich sagt eine leise Stimme: »Boris. Es ist sein Spiel. Wir spielen es immer vor dem Sport.«

Sofort wird der Sprecher von allen Seiten gepufft. Als er den Mund aufmacht, um noch etwas zu sagen, bekommt er einen so starken Stoß, dass er das Gleichgewicht verliert und umfällt, wobei er einige andere mitreißt.

»Schon wieder Boris. Boriiiis!«, schreit Frau Pinkepang in das Gewühle hinein. Sie ist mit ihrer Geduld am Ende.

Zu ihrer Überraschung befindet sich Boris aber gar nicht in der Gruppe, sondern taucht mit blassem Gesicht aus einer Ecke auf.

Er geht an seinen Freunden vorbei. Sie schauen ihn nicht an, obwohl sie normalerweise nicht so feige sind. Aber Frau Pinkepang war auch noch nie so zornig wie heute.

Bevor sie etwas zu Boris sagen kann, meldet sich Sammy zu Wort: »Heute hat er aber nicht mitgemacht. Er hat die ganze Zeit in der Ecke gesessen.«

Frau Pinkepang mustert Sammy nachdenklich. Ob er die Wahrheit sagt? Oder hat er Angst, dass Boris sich womöglich auf dem Nachhauseweg an ihm rächt, wenn sie ihn jetzt bestraft, weil er sich über Sammy lustig gemacht hat.

»Na schön«, sagt sie schließlich. »Wenn Sammy das sagt, will ich ihm glauben. Aber du hast damit angefangen, oder?«

Boris nickt. Er schaut auf den Boden. Eigentlich sehr fair von Sammy, dass er sich gemeldet hat, denkt er. Und doch wünscht er sich, es wäre ein anderer gewesen.

»Und die anderen haben mitgemacht! Das ist auch nicht viel besser! Wir reden noch darüber. Jetzt ab in die Turnhalle.«

Zu ihrer Überraschung dürfen sie die ganze Stunde Völkerball spielen. Sie hatten erwartet, dass Frau Pinkepang zur Strafe mindestens den Schwebebalken aufbauen lässt, ein Gerät, das sie alle hassen, besonders die Jungen.

Aber Frau Pinkepang ist heute froh, dass sie die Klasse spielen lassen kann. Die Sache im Umkleideraum geht ihr einfach nicht aus dem Kopf. Wie waren sich ihre Schüler letzte Woche doch einig, dass man nicht mit Steinen auf andere werfen soll. Und jetzt das! Nur werfen sie statt mit Steinen mit Worten.

Endlich klingelt es. Frau Pinkepang eilt ins Lehrerzimmer, vielleicht weiß einer ihrer Kollegen einen Rat, was sie mit der Klasse machen soll.

21

Mittags, als Sammy aus der Schule kommt, ist die Mutter noch da, der Vater zum Einkaufen in die Stadt gefahren. Sie stellt ihm sein Essen auf den Tisch.

»Hast du heute Nachmittag etwas vor?«

Er schüttelt den Kopf und hofft, dass sie nicht weiterfragt.

»Ist heute nicht Orchesterprobe?«

»Ich geh nicht hin. Was soll ich da? Ich kann ja doch nicht mitspielen.«

»Und dein Stück? Wer spielt das jetzt?«

»Boris, wer denn sonst. Der wird sich freuen. Jetzt kann er alleine alle Stücke spielen.«

»Du könntest wenigstens hingehen. Auch vom Zuhören lernst du was.«

»Pff!«, macht Sammy verächtlich. Wozu soll er lernen, wenn er doch nicht mitspielen kann?

Seine Mutter redet noch eine Weile auf ihn ein.

»Du könntest eine Rassel oder eine Trommel spielen.«

Sammy stellt seine Ohren auf Durchzug, damit er nicht platzt vor Zorn. Er sollte die entscheidende Klavierstimme spielen – und jetzt eine Rassel! Egal, was sie sagt, er wird nicht hingehen. Nicht nur wegen der Rassel. Soll er auch noch zusehen, wie Boris sich freut? Das ist nun wirklich zu viel verlangt.

Daher ist er ausnahmsweise froh, als seine Mutter ihren Mantel anzieht und sich auf den Weg ins Krankenhaus macht.

Bevor sie geht, ruft sie ihm zu: »Ich habe heute Morgen bei Doktor Brand angerufen. Du sollst so gegen fünf vorbeischauen. Er wird sich deine Hand ansehen. Vergiss es nicht.«

Sammy nickt. Er räumt das Geschirr in die Küche und lässt heißes Wasser ins Waschbecken laufen. Mittags, wenn seine Mutter Spätschicht hat, ist er für den Abwasch zuständig. Mit nur einer Hand dauert es etwas länger, aber das ist gut so, denn dann vergeht die Zeit schneller.

Er holt seine Schultasche, packt sein Lesebuch aus und setzt sich auf seinen Stammplatz auf der Fensterbank. Durch die Plastikfolie kann er den Hof und den Spielplatz nur verschwommen erkennen. Schriftliche Hausaufgaben hat er heute keine aufbekommen. Das ist das Gute an seiner verbrannten Hand. Es hätte ja auch die linke treffen können. Dann hätte er die Schmerzen gehabt und die Hausaufgaben noch obendrein.

Mit dem Lesen ist Sammy in zehn Minuten fertig. An anderen Tagen wäre er froh darüber gewesen. Heute aber wünscht er sich tatsächlich mehr Hausaufgaben. Was soll er bloß den ganzen Nachmittag machen?

Sonia und die anderen aus der Klasse haben Orchesterprobe. Mit den Nachbarsjungen Fußball zu spielen hat seine Mutter verboten. Sammy seufzt.

Seine Mutter ist schon immer sehr ängstlich gewesen, dass ihm irgendetwas zustoßen könnte. Sie ruft von der Arbeit mehrfach an und ist ganz aufgeregt, wenn er nicht sofort ans Telefon geht.

Spielt er draußen mit seinen Freunden, muss er um 18.00 Uhr zu Hause sein, um auf ihren Anruf zu warten. Es nervt manchmal ganz schön. Bis jetzt ist auch nie was passiert. Im Notfall kann er immer zur Nachbarin gehen.

Nur ausgerechnet an dem Abend, als der Notfall da war, war die Nachbarin mit ihrem Hund spazieren gegangen.

Er weiß inzwischen, warum seine Mutter so besorgt ist. Das hängt mit den Erlebnissen in ihrer Heimat zusammen.

Da ist sie nämlich eines Tages abends von der Arbeit nach Hause gekommen, die Hütte ihrer Eltern war zerstört, die Eltern und ihre Geschwister getötet oder verschleppt. Es war Krieg in ihrer Heimat und eine Truppe feindlicher Soldaten hatte das halbe Dorf niedergebrannt.

Ganz tief in ihr steckt wohl immer noch die Angst, dass so etwas wieder passieren könnte. Und letzte Woche ...

Unten auf dem Hof sieht er, wie Boris und Frauke auf ihre Fahrräder steigen und losfahren. Um 15.00 Uhr beginnt die Probe. Er befühlt seinen weißen Verband, drückt, bis es wehtut.

Vielleicht hat er Glück und die Hand ist bis zum Konzert wieder heil. Er hat sich so sehr darauf gefreut. Und dann das viele Üben. Alles umsonst.

Er geht ins Wohnzimmer zum Klavier in der Ecke. Der Vater hat es billig von einem Freund erworben. Neu gestimmt und schwarz angestrichen sieht es fast aus wie neu.

Sammy legt seine Hände auf die Tasten. Er schlägt mit den Fingern der rechten Hand einige Töne an, das heißt, er versucht es. Der Verband ist ihm im Weg. Vorsichtig macht er die Binde auf. Die Innenfläche der Hand ist knallrot. Überall haben sich kleine Blasen gebildet. Von den Fingerkuppen ist die ganze Haut abgepellt. Sie tun bei der kleinsten Berührung weh. Außerdem sind die Finger steif. Er hat kein Gefühl mehr in ihnen. Und selbst wenn er spielen könnte, er wäre zu langsam. Die anderen wären mit dem Stück durch, wenn er gerade die ersten Takte gespielt hätte.

Er sitzt da und beißt die Zähne zusammen. 15.30 Uhr. Jetzt sind sie mitten in der Probe. Und an seinem Platz am Klavier sitzt heute Boris, der alle drei Stücke spielt, auch seins.

Frau Pinkepang wird ihm sicher etwas anderes anbieten, was er mit der linken Hand machen kann, denn jeder Schüler der Klasse muss auf irgendeine Weise mitmachen. So lauten die Wettbewerbsbedingungen. Im Schrank im Musikraum liegen noch einige Rasseln und eine kleine Handtrommel.

»Nein!«, ruft Sammy laut und erschrickt vor seiner Stimme. Rasseln würde er nicht. Dann müssten sie eben ohne ihn spielen. Das haben sie vor einem halben Jahr auch gekonnt.

Sammy versucht an die positiven Seiten zu denken. Er würde sich wenigstens die Proben sparen. Das viele Üben ist ja doch ganz schön nervig. Vor allem jetzt, drei Wochen vor dem Konzert. Und warum das alles? Um den ersten Platz zu machen. Eine Woche an der Nordsee mit der ganzen Klasse kann man gewinnen.

Er wird auch gar nicht mitfahren, selbst wenn sie gewinnen sollten. Sicher werden sie ihm das anbieten. Er kann die Stimme von Frau Pinkepang hören: »Natürlich kommst du mit, Sammy. Du gehörst doch dazu. Das mit deiner Hand war Pech.«

Ein Unfall! Pech! Sie haben viele Wörter für das, was an dem Abend passiert ist. Und auf ihr Mitleid kann er gut verzichten.

»Nein danke«, wird er sagen. »Ich habe kein Interesse.« Ganz cool wird er es sagen.

Als dann doch eine Träne über seine Backe läuft, knallt er wütend den Klavierdeckel zu, schnappt sich seine Jacke und rennt aus dem Haus.

22

Es ist noch viel zu früh, um zu Doktor Brand zu gehen. Um 17.00 Uhr soll er erst da sein. Aber vielleicht hat er ja Glück und kommt früher dran. Dann hat er es wenigstens hinter sich und vielleicht hat der Arzt ja eine Wundersalbe für seine Hand.

Was Boris für Augen machen würde, wenn er morgen mit einer geheilten Hand in die Schule käme! Sammy muss bei dem Gedanken grinsen. Das würde er ihm so richtig gönnen. Sieht sich schon als der große Klavierspieler und dann muss er seine Rolle doch wieder an Sammy abtreten.

Auf seinem Weg kommt er an der Schule vorbei. Die Fenster des Musikraumes gehen zur Straße hinaus. Eines steht offen. Sammy bleibt stehen und horcht. Die Stimme von Frau Pinkepang, leicht ungeduldig: »Noch einmal, Boris.«

Dann erklingt sein Stück. Sammy spielt in der Luft mit der linken Hand mit. Plötzlich kneift er das Gesicht zusammen. Boris hat oben im Musikraum einen falschen Ton erwischt, versucht zu korrigieren, das Orchester kommt aus dem Rhythmus. Frau Pinkepang bricht ab.

»So geht es nicht, Boris! Selbst wenn du einen falschen Ton spielst, musst du weitermachen, sonst bringst du alles durcheinander! Also noch einmal von vorne!«

Unten auf der Straße hat Sammy auf seinem Luftklavier weitergespielt und das Stück sicher zu Ende gebracht. Er lässt sich auch nicht von den vorbeigehenden Leuten stören, die ihm verwundert zuschauen, als er sich zum Schluss nach allen Seiten hin verbeugt.

Oben im Musikraum wird das Stück erneut gestartet. Diesmal kommt es ohne Hindernisse zu Ende.

»Na ja«, hört Sammy die Stimme von Frau Pinkepang. »Es wird schon werden, Boris. Du musst aber noch tüchtig üben. Am besten holst du dir die Noten von Sammy. Da habe ich an einigen Stellen reingeschrieben, wie man spielen soll.«

»Vielleicht ist Sammy bis zum Konzert wieder gesund.« Das war die Stimme von Sonia.

»Wir wollen es hoffen. Aber vorläufig müssen wir es so versuchen.«

Sammy auf der Straße geht beschwingt weiter. Immerhin vermissen sie ihn da oben ein bisschen. Jetzt kann er nur noch auf Doktor Brands Wundersalbe hoffen.

Der Rückweg eine Stunde später ist dann nicht mehr so beschwingt. Sammy macht einen großen Umweg, um nicht an der Schule vorbeigehen zu müssen. Eine Salbe hat er zwar bekommen und es wird auch alles heilen. Aber es dauert. In drei Wochen jedenfalls wird er nicht Klavier spielen können. So viel steht fest. Punkt. Aus.

Was der Arzt dann noch alles erzählt hat, ist an Sammy vorbeigerauscht. Dass er Glück im Unglück gehabt habe und alles viel schlimmer hätte ausgehen können. Alles richtig, aber im Moment kann ihn das nicht trösten.

Zu Hause trifft er auf seinen Vater, der sich schon Sorgen gemacht hat.

»Wo warst du nur? Das nächste Mal leg bitte einen Zettel hin, wenn du gehst.«

»Beim Arzt. Mutter hat gesagt, ich soll hingehen.«

»Und was hat er gesagt?«

»Ich kann nicht spielen.«

»Na, wenn es weiter nichts ist. Deine Sorgen möchte ich haben! Dann spielst du eben das nächste Mal. Hauptsache, die Finger heilen wieder.«

Sammy schaut seinen Vater verwundert an. Es scheint ihm tatsächlich nichts auszumachen, dass er, Sammy, nicht beim Wettbewerb spielen kann. Und dabei ist es der Vater gewesen, der sich jeden Abend das Musikstück vorspielen ließ und dann ganz stolz zu Sammys Mutter gesagt hat: »Ist er nicht ein richtiger kleiner Künstler, unser Sohn?«

Sammy betrachtet seinen Vater, der am Küchentisch sitzt und seinen Kaffee trinkt.

Dann geht er aus der Küche und knallt wütend die Tür hinter sich zu. Das *nächste Mal* interessiert ihn nicht, er will jetzt spielen. Er holt sich seinen Walkman, steckt eine Kassette hinein und legt sich auf sein Bett.

23

Gegen 18.00 Uhr klingelt es an der Haustür. Sonia.

»Ein Glück, dass du kommst«, begrüßt Sammys Vater sie. »Vielleicht kannst du Sammy ein bisschen aufmuntern. Er liegt in seinem Zimmer und ist nicht ansprechbar.«

Sie klopft an Sammys Tür und öffnet sie. Er kommt ihr mit Kopfhörern auf den Ohren, dem Walkman und einer Tüte Chips in der Hand entgegen.

»Ich muss mit dir reden. Setz mal die Dinger ab.«

Sammy tanzt um sie herum zu einer Musik, die sie nicht hören kann. Dabei streckt er ihr die Tüte mit den Chips entgegen.

»Bedien dich. Heute gibt es sie umsonst.«

Sonia tippt ihm gegen die Stirn. »Wohl nicht ganz dicht, was?« Sie schiebt ihm die Kopfhörer zur Seite.

»Wir haben auf dich gewartet. Warum bist du

nicht gekommen? Frau Pinkepang war ganz schön sauer.«

»Wozu? Ihr habt doch Boris.«

Zum ersten Mal, seit sie sich kennen, schreit Sonia ihn an. Sie wird leicht einmal wütend, wenn ihr etwas nicht gefällt, aber bei ihm ist ihr das bis heute nicht passiert.

»Jetzt hör mal gut zu, du! Ich kann auch nichts dafür, dass das mit deiner Hand passiert ist. Du hättest wenigstens kommen können. Du kannst doch mit einer Hand Trommel spielen.«

»Oder Rassel!« Sammy schwenkt die Tüte Chips auf und ab wie eine Rassel. Sonia macht eine wütende Bewegung mit der Hand und in hohem Bogen fliegen die Chips aus der Tüte und verteilen sich auf Sonia und den Rest des Zimmers.

Sie reißt ihm die Tüte weg und mit der anderen Hand hält sie ihn am Arm fest.

»Du gehörst dazu, verstehst du denn nicht? Du musst mitmachen. Du bist besser als Boris, das weiß doch jeder. Aber es gibt keine andere Möglichkeit. Wenn du nicht spielst, muss Boris das machen. Warst du beim Arzt?«

Sammy nickt. Sonia versteht auch ohne Worte.

»Ist es denn so schlimm, wenn du nur die Rassel machst?«, fragt sie leise.

Sammy gibt keine Antwort. Er krabbelt auf allen vieren auf dem Boden herum und klaubt die Chips auf. Vielleicht wäre es nicht so schlimm, wenn Sonia Klavier spielen würde oder jeder andere aus der Klasse, aber ausgerechnet Boris.

Sonia betrachtet ihn noch immer verärgert. Dann setzt sie sich auch auf den Boden und pflückt die Chips von ihrem Pullover. Statt in die Tüte steckt sie sie in den Mund. Sammy muss grinsen.

»Also was ist? Kommst du oder nicht?«

»Mal sehen.«

Mehr will er heute nicht versprechen und damit muss sich Sonia erst einmal zufriedengeben.

24

Aber nicht nur Sammy hat Probleme. Auch sein Vater ist seit jenem Abend irgendwie verstört. Er sitzt jetzt häufig in seinem Sessel vor der Zeitung, starrt auf die Zeilen, blättert aber manchmal stundenlang nicht um.

Wenn Sammy ihm etwas erzählen will, hört er überhaupt nicht zu. Manchmal springt er mitten in einem Gespräch auf und fängt an in der Wohnung herumzuräumen. Er schimpft über die Unordnung überall, wirft Zettel und alte Zeitungen in den Müll und verbreitet eine so ungemütliche Stimmung, dass Sammy sich dann meist in sein Zimmer verzieht und seinen Walkman einschaltet.

An diesem Abend klingelt es kurze Zeit später wieder. Es ist Sonias Vater, der wie jeden Montag gekommen ist, um mit Sammys Vater zum Kochkurs in die Volkshochschule zu fahren.

Die Freundschaft zwischen den Vätern begann nämlich mit der Herstellung von bayerischen Knödeln. Beide sind leidenschaftliche Hobbyköche mit einer Vorliebe für die bayerische Küche. Vor sechs Monaten wurde in der Volkshochschule ein Kochkurs angeboten: Einführung in bayerische Spezialgerichte. Beide Väter waren unter den Ersten, die sich anmeldeten.

Ohne diesen Kurs hätten sie sich wohl nicht kennengelernt, denn Sonias Vater gehörte nicht zu den Bürgern, die sich nach Feierabend noch freiwillig um Obdachlose, Asylbewerber oder ähnliche Probleme kümmerten.

Nicht dass er etwas gegen sie gehabt hätte, er war nur einfach müde nach der täglichen Arbeit und wollte sich an seinen schwer verdienten Feierabenden nicht auch noch mit Problemen belasten.

Zu Ausländern, egal welcher Hautfarbe, hatte er

eine eher neutrale Meinung nach dem Motto: Sie sind mir egal, solange sie mich in Ruhe lassen. Aber ich muss sie auch nicht alle umarmen.

Er interessierte sich auch sonst wenig für Politik und die vielen Diskussionen im Fernsehen, ob die Ausländer nun bleiben sollten oder gehen müssten, gingen ihm ziemlich auf die Nerven. Meist schaltete er schon nach wenigen Minuten ab.

Aber Liebe geht bekanntlich durch den Magen. Und als die beiden Väter nach dem Kochen vor ihren Knödeln saßen und vom nächsten Kursabend mit Sauerkraut und Eisbein schwärmten, stellten sie so nebenbei fest, dass sie sich auch sonst ganz sympathisch waren.

An manchen Abenden gab Sammys Vater für seinen neuen Freund in der Wohnung eine Einführung in die äthiopische Küche. Die scharf gewürzten Fleisch- und Gemüsegerichte, dazu die Brotfladen und der Tee, der mit Zimt, Nelken und Kardamom gewürzt war, das alles nahm schon bald den zweiten Rang bei den Lieblingsspeisen von Sonias Familie ein. Wie viele Abende haben sie schon zusammengesessen und gegessen, was die Väter gekocht hatten? Es war jedes Mal ein kleines Fest, zu dem häufig auch die Nachbarin eingeladen wurde.

Auf den gemeinsamen bayerischen Kochabend freut sich Sammys Vater sonst immer die ganze Woche. Aber an diesem Abend sitzt er im Trainingsanzug im Wohnzimmer und erklärt: »Ich komme nicht mit.«

Sonias Vater redet gemeinsam mit Sonia und Sammy auf ihn ein, um ihn umzustimmen, aber Paul sitzt nur da, stützt seinen Kopf in die Hände und sagt kein Wort mehr.

Schließlich schiebt Sonias Vater die beiden Kinder aus dem Zimmer, schließt die Tür und setzt sich zu seinem Freund auf das Sofa.

»Fitsumberhan, jetzt sag mir bitte, was mit dir los ist. Und was war letzte Woche? Am Telefon wolltest du auch nicht darüber reden. Ich hab dich doch gesehen, als du nachts gelaufen bist.«

Sammys Vater sagt lange Zeit gar nichts. Schließlich fängt er an zu erzählen, erst langsam, dann immer schneller, am Schluss überschlagen sich seine Worte: »Sie waren hinter mir her. Mit Schlagstöcken! ›Fangt den Nigger!‹, haben sie geschrien. Und ›Nur ein toter Neger ist ein guter Neger!‹.

An dem Abend letzte Woche haben sie auf mich an der vorletzten Haltestelle gewartet. Zu sechst sind sie eingestiegen. Sonst war keiner mehr in der Straßenbahn.

Sie setzten sich auf die Bänke, die Stiefel auf die Lehnen, und machten dumme Witze. Ich hab es einfach überhört, weil ich Angst hatte.

Aber dann an der Endstation wollten sie nicht aussteigen. ›Wir haben Zeit‹, haben sie gesagt. Ich hab versucht ganz ruhig und höflich zu bleiben, aber sie gingen einfach nicht.

Ich wollte über Funk Hilfe holen, aber bevor ich ein Wort sagen konnte, stand einer schon mit erhobenem Schlagstock neben mir.

Und dann bin ich davongelaufen. Eine kurze Zeit haben sie mich verfolgt, aber dann sind sie zur Straßenbahn zurückgelaufen und haben sie demoliert. Die Fensterscheiben, die Sitze, es sah schrecklich aus.

Das Schlimmste aber ist, dass mein Chef meint, ich hätte nicht nach Hause laufen, sondern zur nächsten Polizeistation gehen müssen, um Hilfe zu holen. Jetzt soll die ganze Sache untersucht werden. Wenn ich Pech habe, feuern sie mich.

Ich weiß, es war feige, wegzulaufen, aber ich hatte Angst, verstehst du. Einfach Panik.«

Erst nach einer ganzen Weile meint Sonias Vater: »Ich glaube nicht, dass sie dich feuern werden. Jeder hätte Angst gehabt.«

Er beschließt, am nächsten Tag bei Pauls Dienststelle anzurufen. Denen wird er was erzählen. Aber das sagt er Paul nicht.

An diesem Abend findet der Kochkurs ohne die beiden statt, aber immerhin hat sich Sammys Vater so weit beruhigt, dass er für alle eine Suppe kocht, die diesmal so scharf gerät, dass selbst Sonias Vater, der sonst nach dem Motto *Je schärfer, desto besser* isst, nach Luft schnappen muss.

25

Leicht fällt es Sammy drei Tage später nicht, als er sich auf den Weg zur Probe machen soll. Und eigentlich geht er überhaupt nur, damit sie endlich Ruhe geben. *Sie*, das sind Sonia, Frau Pinkepang und seine Eltern.

Noch am selben Tag, an dem er die Probe geschwänzt hatte – die Mutter war gerade von der Arbeit zurückgekommen –, ging das Telefon. Sammy lag längst im Bett, hatte aber noch nicht einschlafen können. Als er hörte, wie die Mutter überrascht und ein wenig ängstlich ins Telefon sagte: »Oh, guten Abend, Frau Pinkepang«, wusste er sofort Bescheid. Leise schlüpfte er aus dem Bett und stellte sich hinter seine leicht geöffnete Zimmertür.

Frau Pinkepang redete eine ganze Weile auf die Mutter ein, die immerfort nur »Ist in Ordnung« und »Ich werde mit ihm sprechen« sagte.

Als die Mutter endlich auflegte, war Sammy schon wieder im Bett und hatte die Decke über seinen Kopf gezogen. Er hörte, wie die Mutter ins Zimmer kam und leise »Sammy« sagte, aber er stellte sich schlafend.

Am nächsten Morgen redete die Mutter mit ihm. Er solle doch nicht alles hinschmeißen und die Klasse im Stich lassen. Das sei nicht fair.

Da ist Sammy dann geplatzt. Er hat ihr seine Hand hingehalten und geschrien: »Und was ist das? Ist das etwa fair? Was habe ich denen getan, dass sie Brandbomben werfen? Ich habe wochenlang geübt, und jetzt willst du, dass ich die Rassel spiele?«

Dann war er in sein Zimmer gelaufen und hatte die Tür abgeschlossen.

Später in der Schule nahm ihn Frau Pinkepang beiseite.

»Sammy, die Klasse kann genauso wenig dafür wie du. Aber wenn du jetzt nicht mitspielst, bestrafst du uns alle. Du kennst die Wettbewerbsbedingungen. Die ganze Klasse muss teilnehmen.«

»Und wenn einer krank wird? Grippe oder

Fieber? Dann darf die Klasse doch auch teilnehmen.«

So schnell gab Sammy nicht nach. Nach drei Tagen hatten sie ihn aber doch so weit, dass er es wenigstens mal probieren wollte.

»Aber nur, damit sie mich endlich in Ruhe lassen«, brummte er vor sich hin. Zuerst hat die Mutter ihn noch hinbringen wollen, damit er auch ja nicht woanders hinginge. Das hat Sammy entrüstet abgelehnt. Seiner Mutter ist der Zirkus, den er aufführt, reichlich peinlich.

»Reiß dich zusammen, Sammy. Es ist schlimm genug, dass so etwas passiert ist, aber du musst es langsam vergessen.«

Bei der Probe sitzt er also mit seiner Rassel in der Hand und schüttelt sie verächtlich, ohne auch nur einen Blick in die Noten zu werfen, wo Frau Pinkepang mit roter Tinte seine Einsatzstellen markiert hat.

Sammy hat nur Augen für Boris, der zur Überraschung aller heute sämtliche Stücke, auch das von Sammy, völlig fehlerfrei herunterspielt. Er muss Tag und Nacht geübt haben. Alle sind erleichtert und klatschen begeistert, als er sein schwieriges Solo beendet. Frau Pinkepang atmet auf.

»Toll gemacht, Boris.«

Nur Sammy ist enttäuscht. Ein bisschen hat er gehofft, Boris würde wieder so viele Fehler machen wie neulich, als er unten auf der Straße gestanden ist. Es gefällt ihm gar nicht, dass Boris auch sein Stück so gut beherrscht.

Er kommt sich überflüssig vor und rasselt beim letzten Stück nicht mehr mit. Und siehe da, es fällt nicht einmal auf. Frau Pinkepang ist rundum zufrieden, wichtig ist das Klavier, und das hat heute mit Boris gut geklappt.

»Hol dir trotzdem noch die Noten von Sammy. Dann bekommen wir auch die letzten Feinheiten hin«, empfiehlt sie ihm am Ende der Probe.

Wütend wirft Sammy seine Rassel in den Schrank zurück. Er hat beschlossen, nicht mehr mitzumachen. Und diesmal ist es endgültig. Da können sie auf ihn einreden, wie sie wollen.

Es macht ja doch keinen Unterschied, ob er da ist oder nicht. Doktor Brand wird ihm sicher ein Attest ausstellen, das Frau Pinkepang beim Wettbewerb vorlegen kann, damit die Klasse wenigstens nicht disqualifiziert wird.

26

Am nächsten Morgen gibt Frau Pinkepang das Diktat über den *Altweibersommer* zurück. Boris und Sonia haben null Fehler.

»Und du, Sammy?«, fragt Boris, wie er das bei jeder Arbeit macht.

Sammy hält seine Hand hoch.

»Ich hab nicht mitgeschrieben.«

»Hm«, macht Boris und geht an seinen Platz zurück. Bei ihm scheint keine rechte Freude über seine gute Arbeit aufkommen zu wollen. Dabei geht es doch wirklich nicht besser. Er klappt scin Heft zu und steckt es in die Schultasche.

Auch die nächste Mathearbeit wird noch ohne Sammy geschrieben. Wieder hat Boris die beste Arbeit in der Klasse. Und wieder ist er nicht ganz zufrieden. Sammy beachtet ihn nicht weiter. Er hat ganz andere Sorgen.

Am nächsten Tag soll das alljährliche Sportfest stattfinden und er weiß nicht, ob seine Mutter ihm überhaupt erlauben wird, dabei mitzumachen.

Seine letzte Hoffnung ist Doktor Brand, zu dem er gemeinsam mit der Mutter direkt nach der Schule geht. Er nimmt den Verband ab und drei Köpfe beugen sich über Sammys Hand.

»Na ja«, macht der Arzt. »Es verheilt recht gut. Obwohl es noch eine Weile dauern wird, bis du deine Finger wieder wie vorher bewegen kannst.«

»Und das Sportfest morgen? Ich kann doch wenigstens laufen.«

Doktor Brand hat nichts dagegen. Er macht ihm sogar noch einen extrastabilen Verband.

27

Dass Sammy dann am nächsten Morgen mit einem Mordszorn im Bauch zum Sportplatz loszieht, liegt an seiner Mutter. Hat der Arzt nicht gesagt, er könne mitmachen, wenn er vorsichtig ist und kein Dreck in die Wunde kommt? Hat er das nicht? Aber nein, sie weiß es mal wieder besser. Sie kennt ihn und weiß, dass er alle guten Vorsätze vergisst, wenn er erst mal im Wettkampf ist, und so weiter.

Jedenfalls hat die Diskussion gestern Abend mit einem klaren Verbot, am 50-m-Lauf und an den Staffeln teilzunehmen, geendet.

»Wenn du auf deine Hand fällst, nicht auszudenken! Dies eine Mal werden sie ohne dich auskommen müssen.«

Als ob er schon jemals bei der Staffel auf die

Hand gefallen wäre. So was Blödes! Er würde als Erster starten, das Staffelholz in der linken Hand. So hat er es in den letzten Sportstunden geübt.

Und er ist doch so wichtig für die Staffel, denn in diesem Jahr wollten sie Revanche für die Niederlage vom letzten Jahr gegen die Parallelklasse nehmen. Wenn er jetzt fehlt, fallen gleich drei gute Läufer aus, da Sven und Dennis wegen Grippe nicht dabei sind.

Morgens beim Frühstück ist er noch fest entschlossen gewesen, heimlich mitzulaufen. Aber seine Mutter scheint Gedanken lesen zu können, was ihr immer dann zu gelingen scheint, wenn er etwas vor ihr verheimlichen will.

»Sammy, du läufst nicht mit, versprichst du das?«

Er zieht eine Grimasse.

»Ich meine es doch nur gut mit dir. Deine Hand braucht Ruhe.«

»Ich will ja nicht auf den Händen laufen.«

Er hat es nicht direkt versprochen, aber natürlich kann er jetzt nicht mehr mitlaufen. Wütend stößt er mit dem Fuß gegen einen Stein.

Eigentlich hätte er sich wie alle anderen auch gegen 8.00 Uhr vor Beginn der Wettkämpfe am Treffpunkt bei den Umkleidekabinen einfinden müssen.

Stattdessen biegt er hinter dem Eingang zum

Sportplatz rechts ab und geht Richtung Zuschauertribüne. Dort klettert er bis zur obersten Reihe und macht es sich auf einem der Sitze bequem.

Während er an einem Müsliriegel knabbert, schaut er sich auf dem Sportplatz um. Noch ist alles ruhig. Bis auf Frau Baumann, die Sportlehrerin, die hektisch hin und her läuft, Bälle, Maßbänder und Stoppuhren verteilt, sind alle am anderen Ende des Platzes versammelt.

Rektor Feldner hält seine alljährliche Sportfestrede über Megafon. Seine letzten Worte wehen zu Sammy herüber: »Ich wünsche euch allen viel Spaß, frei nach dem olympischen Motto: Siegen ist zwar schön, aber dabei sein ist alles.«

Sammy beißt die Zähne fest aufeinander. Jetzt fang bloß noch an zu heulen! Reiß dich gefälligst zusammen!, schimpft er mit sich selber. Dabei sein ist alles! Und er ist nur Zuschauer.

Am anderen Ende des Sportplatzes erkennt er Frau Pinkepang, die mit beiden Armen wild in der Luft herumwirbelt. Wahrscheinlich teilt sie die Klasse gerade in Riegen ein. Da marschiert auch schon Sonia an der Spitze der Mädchen, den Klemmordner mit den alphabetisch geordneten Namen unter dem Arm, Richtung Sprunggrube.

Dort wartet bereits Herr Breuer mit dem Maßband. Als Hilfe ist ihm Katharina zugeteilt worden, die sich den Fuß verstaucht hat und daher nicht mitmachen kann.

Genau das wollte Sammy für sich vermeiden. Wenn er zum Treffpunkt gegangen wäre, hätte Frau Pinkepang ihn mit Sicherheit beim Laufen oder Werfen zum Helfen eingeteilt.

In den normalen Sportstunden macht er gerne den Hilfslehrer so wie die anderen auch. Aber heute ist eben keine normale Stunde. Heute, wo er nicht mitmachen kann, will er auch nicht mithelfen. Und wenn sich Frau Pinkepang bei seiner Mutter beschwert ... pfff ... soll sie doch. Darauf kommt es jetzt auch nicht mehr an.

Sammy fühlt sich ziemlich einsam auf der Zuschauerbank. Nachher werden sicher noch einige Väter und Mütter auftauchen, um das Sportfest und vor allem ihre Kinder zu beobachten.

Direkt vor ihm liegen die Laufbahnen. Er hätte nur hinuntergehen müssen. Boris macht sich gerade startklar. Gespannt beobachtet Sammy, wie er sich an den Startblock kniet, seine Hände aufsetzt.

Achtung, fertig, los! Frühstart! Die vier Jungen beschimpfen sich gegenseitig, aber selbst Sammy, der doch den besten Überblick hat, weiß nicht, wer schuld ist.

Beim zweiten Mal klappt es. Schon nach wenigen Metern hat Boris die anderen abgehängt. Wenn er doch mitlaufen könnte, dann würde Boris es nicht so einfach haben. Boris gewinnt, allerdings scheint er mit seiner Zeit nicht zufrieden zu sein. Ärgerlich nimmt er einen Stein vom Boden und schleudert ihn in die Zuschauertribüne.

Der Stein fliegt haarscharf an Sammy vorbei, der sich gerade noch ducken kann. Jetzt hat Boris ihn auch bemerkt. Er macht ein erschrockenes Gesicht und rennt zu Sammy hoch.

Als er ganz außer Atem bei ihm ankommt, ruft er: »Hab ich dich getroffen? Ich hab dich nicht gesehen, ehrlich. Ich …«

Sammy steht auf. »Ist schon okay.«

»Ich hab mich nur geärgert, weil meine Zeit so schlecht war.«

»Ich hab gesagt, es ist okay.«

Sammy will nicht mit ihm reden. Er will mit niemandem reden, er will, dass sie ihn alle in Ruhe lassen. Er klettert zwei Reihen weiter und setzt sich wieder hin, ohne Boris weiter zu beachten. Boris folgt ihm.

»8,3 auf 50 m. So schlecht war ich noch nie.

Wenn du mitgelaufen wärst, dann hätte ich auch schneller laufen können.«

Sammy zuckt mit den Schultern. Seine Schuld war es nicht. Aber 8,3 war wirklich nicht schnell, er kann verstehen, warum Boris sich ärgert. Mit dieser Zeit kann er die große Urkunde vergessen.

Die verlorenen Punkte sind nicht mehr aufzuholen. Boris tut ihm direkt ein wenig leid.

»Ich wollte ja laufen«, sagt er deshalb. »Aber meine Mutter hat es verboten. Sie hat Angst, dass ich hinfalle.«

Boris nickt. »Kenn ich. Meine macht sich auch immer Sorgen ... Um elf sind die Staffeln. Du kannst uns anfeuern ...«

»Mal sehn ...«

Boris springt die Stufen hinunter. Kurz vor 11.00 Uhr steht Sammy auf und geht hinüber zum Laufen, wo seine Klasse gerade Aufstellung nimmt.

»Hey, Sammy, warum läufst du nicht mit?«

Er schüttelt nur den Kopf und stellt sich an den Rand. Die Parallelklasse siegt, was auch zu erwarten war. Sammy ärgert sich. Blöde Mutter, blöde Hand.

28

So zornig, wie er morgens losgegangen ist, kommt er mittags wieder zu Hause an.

Die Mutter ist schon zur Arbeit gegangen, was ganz gut für sie ist, für Sammy dagegen weniger. So hat er niemanden, an dem er seinen Zorn auslassen kann.

Den Schlüssel holt er sich bei der Nachbarin. Sie drückt ihm auch noch ein Schälchen rote Grütze in die Hand.

»Extra für dich mit viel Vanillesoße. Und wenn wieder was los ist, komm sofort zu mir. Ich bin den ganzen Nachmittag zu Hause.«

Der Pudding verbessert seine Laune ein bisschen, aber auch nur ein bisschen. Er setzt sich ins Wohnzimmer und löffelt ihn langsam in sich hinein. Dabei sieht er fern, was beim Essen normalerweise nicht erlaubt ist.

Außerdem besteht seine Mutter darauf, den Nachtisch immer als Letztes zu essen. Aber heute tröstet es Sammy, dass er es so macht, wie er es will. Einmal muss er ja auch was zu sagen haben. Und wenn es nur beim Pudding ist.

Die Hände hat er sich vor dem Essen auch nicht gewaschen. Egal, zurzeit hat er sowieso nur eine

Hand, die dreckig werden kann, die andere bleibt sauber durch den weißen Verband, der allerdings nicht mehr ganz weiß ist.

Nach dem Essen trödelt er herum. Er weiß nicht so recht, was er anfangen soll. Nachdem er mehrmals alle Fernsehprogramme durchprobiert hat, von den Nachrichten über eine amerikanische Westernserie bis zur Tennisübertragung, schaltet er ab. Er hat zu nichts Lust. Nachher kommt Sonia vorbei, aber bis nachher ist noch eine Weile Zeit.

Er wandert in seinem Zimmer am Bücherregal vorbei, steckt zwei Legosteine zusammen, fährt mit einem Auto um ein Buch herum. Es gibt so Tage, da hätte man Zeit, alles Mögliche zu spielen, aber man kann sich zu nichts aufraffen.

Auf dem Regal steht sein Tuschkasten. Vierundzwanzig Farben und das Deckweiß. Sammy nimmt einen Pinsel und rührt im Deckel eine Farbe an. Braun mit Weiß ergibt Hellbraun-Orange. Er rührt immer mehr Weiß dazu und das Braun wird immer heller.

Vor dem großen Spiegel im Flur probiert er die gemixte Farbe aus. Erst kommt die Nase dran, dann die Stirn, die Backen, die Partie um den Mund herum. Am Schluss füllt er die Zwischenräume aus.

Die Pinselhaare kitzeln. Den Rest verreibt er mit der Hand.

Dann betrachtet er sein Gesicht im Spiegel. Das Ergebnis ist nicht ganz so, wie er es sich vorgestellt hat. Die Farbe wirkt auf seiner dunklen Haut nicht so hell wie auf dem weißen Tuschkastendeckel. Er drückt den Rest Deckweiß aus der Tube direkt auf seine Haut und verreibt ihn gleichmäßig.

Dann geht er zwei Schritt zurück und betrachtet sich wieder. Sein Gesicht sieht fremd aus. Es gefällt ihm nicht. Außerdem schimmert der braune Untergrund immer durch.

Er stellt sich vor, wie es wäre, wenn seine Eltern weiße Haut hätten. Dann würden sich die Leute auf der Straße nicht mehr nach ihm umgucken. Dann würden sie sich nicht mehr wundern, dass er ohne Fehler Deutsch spricht.

Klar, was soll er sonst auch sprechen?

29

Es klingelt. Bestimmt Sonia. Mal sehen, was sie sagt, wenn sie ihn mit der Farbe im Gesicht sieht. Sammy reißt die Tür auf.

Boris!

Sammy starrt ihn erschrocken an. Mit dem hat er überhaupt nicht gerechnet. Was will er hier? Ausgerechnet jetzt, wo er die Farbe im Gesicht hat. Mann, ist ihm das peinlich.

Boris fühlt sich allerdings auch nicht besonders wohl. Es ist ihm schon schwer genug gefallen, sich auf den Weg zu Sammy zu machen, um ihn zu bitten, die Noten herauszugeben. Er hat sich genau überlegt, wie er es sagen will.

Aber als Sammy ihm jetzt mit der weißen Farbe im Gesicht öffnet, sind alle Sätze, die er sich so mühsam ausgedacht hat, wie weggeblasen. Er starrt ihn mit offenem Mund an.

»Was hast du denn gemacht?«, fragt er schließlich, nachdem er sich von seinem Schreck erholt hat.

Sammy lacht etwas verlegen.

»Och, ich wollte nur mal ausprobieren, wie ich mit weißer Haut aussehe. Findest du das besser so?«

Boris bekommt einen roten Kopf. »So ein Quatsch«, sagt er verlegen.

Dann stehen sie wieder da und keiner sagt etwas.

»Ja, also, ich wollte dich was fragen. Kann ich kurz reinkommen?«

Sammy geht einen Schritt zur Seite und lässt Boris in den Flur. Die Wohnungstür lässt er offen. Da stehen sie wieder und starren die Wände an.

»Gut, dass du noch nicht zur Probe gefahren bist«, fängt Boris wieder an. Sammy schweigt. »Ich soll ... ich meine, Frau Pinkepang hat gesagt ... die Noten ...«

Sammy geht in sein Zimmer zu seiner Klaviertasche. Boris folgt ihm. »Hier.« Er hält Boris die Noten hin, aber der bemerkt es gar nicht. Er steht vor dem Fenster und schaut auf die Plastikfolie.

»Hast du hier gestanden?«, fragt er leise.

Sammy nickt. »Direkt neben dem Fenster.«

»Und dann?«

Nie hätte Sammy es sich träumen lassen, dass er ausgerechnet mit Boris über die Sache reden würde. Er hat die letzten Tage so darauf gewartet, dass ihn jemand fragt. Alle sind besorgt um seine Hand, machen ihm Geschenke oder sind besonders nett zu ihm.

Aber keiner will darüber reden. Die Eltern vermeiden das Thema, weil es ihnen Angst macht. Vielleicht sprechen sie darüber, wenn sie alleine sind, aber nicht mit Sammy.

»Du musst versuchen es zu vergessen, sonst macht die Angst dich kaputt«, hat der Vater nur zu ihm gesagt. »Wir leben nun mal hier. Und es kann immer wieder vorkommen. Damit müssen wir alle rechnen.«

Frau Pinkepang, die Nachbarin und die anderen Hausbewohner, auch sie alle sprechen nicht mehr darüber, was an jenem Abend passiert ist. Sammys Hand, die sich nicht übersehen lässt, macht sic jedes Mal verlegen.

»Tut's noch weh?«, fragen sie.

Und er sagt »Nein«, weil sie das erwarten.

Jetzt, wo er schon gar nicht mehr damit gerechnet hat, kommt ausgerechnet Boris und fragt: »Und dann?«

Die ganze Geschichte sprudelt aus Sammy hervor. Boris hört ihm zu, ohne ein Wort zu sagen. Er steht am Fenster, schaut vorsichtig durch die Plastikfolie, zeigt auf einen Balkon im gegenüberliegenden Haus.

»Da hab ich gestanden.«

»Ich weiß. Ich hab dich gesehen. Dich und deinen Vater.«

Boris bekommt erneut einen roten Kopf. Er wartet, dass Sammy weiterredet.

»Und?«, fragt er schließlich.

»Was und?«

»Ich meine, was hast du gedacht, als du mich gesehen hast?«

Sammy zuckt mit den Schultern.

»Nichts. Du hast zugeschaut wie alle anderen.«

»Aber vielleicht hätte ich was machen sollen? Irgendwas, meine ich ... Von hier aus sieht alles ganz anders aus.«

Sammy schaut aus dem Fenster.

»Die Scheibe wird erst morgen neu eingesetzt. Das dauert immer so lange bei den Handwerkern, sagt der Hausmeister.«

Dann stehen sie wieder da und wissen nicht so recht, was sie sagen sollen.

Sammy hält Boris die Notenblätter hin. »Du musst losfahren. Du kommst zu spät.«

»Und du?«

Sammy dreht sich um und rückt die Bücher auf seinem Regal zurecht, obwohl sie eigentlich gar nicht schief stehen.

»Ich komme nicht.«

Boris blättert in den Noten. Dann schaut er auf die Uhr.

»Ja, dann gehe ich jetzt besser.«

Er schaut zu Sammy hin, der noch immer seine Bücher ordnet, dreht sich um und geht.

Vom Fenster aus beobachtet Sammy, wie Boris die Noten in seinen Fahrradkorb legt und losfährt. Einmal schaut er sich noch um, dann ist er um die Ecke verschwunden.

30

Als es zehn Minuten später wieder klingelt, will Sammy erst gar nicht öffnen. Er ist nicht in der Stimmung für noch mehr Besuch. Außerdem ist er mit dem Abwischen der Farbe aus seinem Gesicht erst halb fertig. Erst als es gar nicht aufhört zu klingeln, geht er hin und reißt wütend die Tür auf.

Schon wieder Boris! Ganz außer Atem und mit den Notenblättern in der Hand. Im ersten Moment denkt Sammy, er habe Boris die falschen Noten gegeben.

»Fällt die Probe aus?«

»Ich geh auch nicht. Ich hab's mir anders überlegt.«

»Spinnst du? Willst du Ärger mit der Pinkepang?«

»Ich will mit dir üben.«

»Wozu? Du kannst die Stücke doch. Auch mein Stück.«

»Ich will, dass du spielst.«

Sammy tippt sich an die Stirn.

»Wohl 'ne Meise, was? Du weißt genau, dass ich nicht spielen kann. Jetzt nicht und auch nicht in zwei Wochen. Ich hab's selber probiert. Ich bin zu langsam mit der rechten Hand.«

»Mit der linken Hand kannst du aber spielen.

Ich hab mir gedacht, wir spielen alle Stücke zusammen. Du mit links und ich mit rechts.«

Sammy schüttelt nur den Kopf.

»Du bist ja verrückt. Das geht doch gar nicht. Und außerdem: warum? Sei doch froh, dass du alleine spielen kannst. Das wolltest du doch immer. Hast du vergessen, wie sauer du auf mich warst, als ich dein Stück spielen sollte? Jetzt hast du es wieder.«

Boris bekommt einen roten Kopf und schreit wütend: »Aber ich will es nicht mehr! Verstehst du denn gar nichts, du Dummkopf. Ich mag nicht Erster sein, wenn du nicht mitmachst. Beim Diktat und beim Laufen und beim Klavierspielen. Ich bin Erster, aber vielleicht nur, weil du nicht mitgemacht hast. Das ist kein richtiger Wettkampf. Verstehst du?«

Sammy zuckt mit den Schultern.

»Na schön, wenn du lieber auf deiner blöden Rassel spielen willst, kann ich ja gehen.«

Die Rassel gibt den Ausschlag. Boris ist schon an der Treppe, als Sammy endlich reagiert. Er läuft hinter ihm her.

»Nun warte doch mal. Wir können es ja versuchen.«

31

Die nächsten zwei Stunden lassen sich mit dem Wort »mühsam« am besten beschreiben.

Mal ist Sammys linke Hand schneller, dann wieder die rechte von Boris. Es ist schon schwierig für einen Menschen, beim Spielen seine beiden Hände aufeinander abzustimmen, aber zu zweit ist es fast unmöglich. Fast.

Sammy will mehrfach aufgeben.

»Es geht einfach nicht. Das kriegen wir bis zum Konzert niemals hin. Du musst alleine spielen. Du kannst doch alle Stücke gut.«

Aber Boris lässt nicht locker.

»Wenn du nicht mitmachst, spiele ich auch nicht. Dann fällt das ganze Konzert ins Wasser. Und du bist schuld.«

Also üben sie weiter. Auch am nächsten und übernächsten Tag.

Bei den Proben in der Schule spielt Boris allerdings zunächst allein am Klavier, denn keiner soll von ihren Übungen wissen, bevor sie nicht ganz sicher sind, dass es klappen kann. Frau Pinkepang atmet auf, weil Sammy wieder zur Probe kommt.

»Na siehst du, Sammy. So schlimm ist das doch

nicht. Hauptsache, du bist dabei. Auch die Rassel ist wichtig für den Gesamtklang.« Und mit einem verärgerten Blick auf Boris fährt sie fort: »Ich erwarte von euch allen – ohne Ausnahme –, dass ihr bis zur Aufführung keine Probe mehr schwänzt.«

Alle nicken. Sammy rasselt brav vor sich hin. Die Sache beginnt ihm Spaß zu machen.

Er beobachtet die anderen. Da sind Sven am Schlagzeug, Sonia in der Flötengruppe, sechs Xylofone, drei Glockenspiele, zwei Triangeln. Mehrere Kinder schlagen auf unterschiedlich dicke runde Hölzer ein. Jeder macht auf seine Weise mit. Selbst Bernd, der mit Musik nicht so viel am Hut hat und sich dafür lieber auf dem Fußballplatz herumtreibt, macht mit und ist zufrieden, wenn er seinen Einsatz mit der Trommel nicht verpasst.

Sammy schaut zu Frau Pinkepang, wie sie ihren Taktstock schwingt, den einzelnen Gruppen die Einsätze gibt oder auch ungeduldig an das Notenpult klopft, was Abbruch und Neuanfang bedeutet. Die werden Augen machen, wenn er sich mit Boris zusammen ans Klavier setzt.

Die Einzige, die Bescheid weiß, ist Sonia. Sie hat Boris gleich am ersten Tag vor Sammys Wohnung getroffen und ihn sofort verdächtigt, er habe irgendetwas gegen Sammy geplant. Sie hat ihn ganz fürchterlich angeschrien und wollte ihn schon die Treppe hinunterschubsen.

Zum Glück hat Sammy den Lärm im Flur gehört. Daraufhin haben sie Sonia in ihren Plan eingeweiht.

Sonia ist seitdem eine sehr kritische Zuhörerin bei ihren Übungen. Für Boris und Sammy manchmal schon zu kritisch. An allem hat sie etwas auszusetzen.

Die beiden sind zunehmend genervt, weil der Tag des Konzertes immer näher rückt und noch kein Stück so ganz ohne irgendwelche kritischen Anmerkungen von Sonia beiseitegelegt werden kann. Am Tag vor der Generalprobe sind sie sogar drauf und dran, Sonia vor die Tür zu setzen. Aber sie meint nur: »Es ist besser, ich sag euch gleich, wenn es nicht hinhaut, als wenn die anderen das morgen merken.«

Endlich aber ist auch Sonia zufrieden.

»Morgen versuchen wir es einfach. Wenn ich nur wüsste, was Frau Pinkepang dazu sagen wird.«

Vor lauter Aufregung schläft von den dreien niemand besonders gut in dieser Nacht.

32

Zur Generalprobe am nächsten Tag sind auch die Eltern eingeladen. Frau Pinkepang findet es besser, wenn die Klasse schon einmal vor Zuhörern gespielt hat, bevor es dann im Wettbewerb vor den Preisrichtern und den vielen Zuschauern im Großen Saal der Musikhalle ganz ernst wird.

Sammys Eltern werden auch kommen. Sie sind beide froh, dass Sammy nun doch mitmacht, obwohl sie, wenn sie ganz ehrlich sind, immer noch gehofft haben, dass seine Hand bis zum Konzert verheilen würde.

Die Rassel ist ja ganz schön, und wie sie Sammy immer wieder versichern, ist dabei sein alles. Aber es wäre eben doch noch schöner gewesen, wenn ihr Sohn vorne am Klavier gesessen hätte.

Sammys Mutter beobachtet ihn beim Mittagessen, wie er fröhlich seine Spaghetti aufrollt. Es scheint ihm gar nichts mehr auszumachen. Ein Glück, denkt sie, dass Kinder so schnell vergessen können.

Als dann alle Kinder eine halbe Stunde vor Beginn der Generalprobe in der Aula der Schule versammelt sind, um ein letztes Mal zu proben, bevor die Eltern anrücken, stellt sich heraus, dass Frau

Pinkepang gar nicht das große Problem ist. Sie ist zwar anfangs nicht sehr begeistert, als Boris ihr erklärt, was er zusammen mit Sammy eingeübt hat. Aber im Grunde ist sie glücklich, dass der ständige Streit zwischen Boris und Sammy beigelegt zu sein scheint. Sie freut sich darüber so sehr, dass es ihr gar nicht mehr so wichtig ist, ob die Klasse nun den ersten Platz machen wird oder nicht.

Die Kinder ihrer Klasse aber sehen das ganz anders. Sie wollen siegen, dafür haben sie schließlich monatelang geübt. Boris und Sammy können gerne aufhören zu streiten, aber bitte nicht so.

Und wenn sie schon gemeinsam Klavier spielen müssen, warum dann ausgerechnet vor dem Konzert damit anfangen? Nachher haben sie wochen-, ja monatelang Gelegenheit dazu. Aber warum müssen sie mit ihren Versöhnungsversuchen jede Chance auf einen Preis kaputt machen?

So und ähnlich klingen die Reaktionen ihrer Klassenkameraden, als sich Sammy und Boris auf der Generalprobe gemeinsam vor das Klavier setzen. Nicht einmal anhören wollen sie, wie die beiden spielen. Es sei zu spät für neue Experimente. Auf einer Generalprobe sollen eigentlich nur letzte Unebenheiten verbessert, letzte Hinweise für den großen Auftritt gegeben werden. Und dann kommen die beiden und wollen ausgerechnet die entscheidende Rolle doppelt besetzen. Zu zweit zweihändig spielen. So was ist noch nie da gewesen. Selbst Dennis, Boris' bester Freund, ist skeptisch.

»Warum wartet ihr nicht bis zum nächsten Elternabend?«

»Da spielen wir vierhändig«, meint Boris. »Dann ist Sammys Hand wieder in Ordnung. Es ist wichtig, dass wir jetzt spielen, kapierst du das denn nicht?«

Nein, das kapiert Dennis nicht, und das will er auch nicht kapieren. Vielleicht ist er auch nur ein bisschen eifersüchtig, dass sich Sammy jetzt so gut mit Boris versteht. Darum versucht er es noch einmal.

»Frau Pinkepang, sagen Sie doch etwas. Die beiden machen uns alles kaputt.«

»Entweder wir spielen zusammen oder gar nicht! Ich spiele nicht alleine!« Das ist Boris. Und es ist natürlich ein wenig unfair, das weiß er selber, denn ohne Klavier braucht die Klasse gar nicht erst anzutreten.

»Erpressung!«, schreit dann auch sofort Sven und schwingt den Trommelschläger über seinem Kopf.

Die Lehrerin, die sich bis hierher die Auseinandersetzung ruhig angehört hat, schlägt einen Kompromiss vor: »Wir werden das gesamte Programm einmal durchspielen. Die beiden am Klavier haben ihre Chance, zu zeigen, ob es klappt. Wenn sie so gut spielen wie Boris allein, dürfen sie auch morgen zusammen spielen. Sonst spielt Boris und Sammy bleibt bei seiner Rassel.«

Damit sind nach einigem Hin und Her schließlich alle einverstanden. Frau Pinkepang hebt den Taktstock.

33

In diesem Moment kommt der Hausmeister angelaufen: »Frau Pinkepang, wir müssen die Eltern hereinlassen. Die stehen bereits vor der Tür. Ich denke, die Probe soll doch um 16.00 Uhr beginnen.«

Auch das noch! Frau Pinkepang schaut erschrocken auf ihre Uhr. Schon fünf Minuten nach 16.00 Uhr. Dabei haben sie noch nicht einmal angefangen zu üben. Und zu allem Überfluss auch noch die Sache mit Boris und Sammy.

Frau Pinkepang ist ganz schwindelig. Das wird der größte Reinfall ihrer Laufbahn werden.

Da gibt es nur eins. Sie muss das Experiment verbieten. Sie dreht sich zu Boris und Sammy um und sagt: »Es tut mir leid, aber ich glaube, es ist das Beste, wenn …«

Boris schaut ihr direkt in die Augen; da bricht sie ab und holt tief Luft. Diesmal wird sie auch mit ihrem berühmten Blick nichts erreichen. Im Gegenteil, heute ist es Boris, der ihr zu verstehen gibt, dass er keine Widerrede dulden wird. Entweder sie lässt die beiden gemeinsam Klavier spielen oder Boris schmeißt die ganze Sache hin.

Na schön, Generalproben geraten oft daneben. Sie winkt dem Hausmeister, die Türen zu öffnen. Zwei Minuten später strömen die Eltern herein. Nach einer kleinen Begrüßungsrede von Frau Pinkepang ist es so weit.

Wieder hebt sie ihren Taktstock. Das Gemurmel unter den Eltern wird leiser, bis schließlich alle ruhig sind. Vor lauter Aufregung verursachen Boris und Sammy zunächst einmal einen Frühstart.

Die Kinder schauen sich bedeutungsvoll an. Na, haben wir nicht gewusst, dass es nicht klappen wird? Frau Pinkepang beißt sich auf die Lippen und wünscht sich viele Kilometer weit weg zu sein.

Aber dann geht es los: Sie spielen alle drei Stücke hintereinander. Zweimal muss Frau Pinkepang unterbrechen. Aber diesmal nicht, weil Sammy und Boris gepatzt haben, sondern weil einmal die Flöten und beim zweiten Mal die große Trommel ihren Einsatz verpasst haben. Die Spieler haben alle mit einem Auge auf die beiden am Klavier geschaut.

Zwischen den einzelnen Stücken gibt es jedes Mal einen riesigen Applaus. Auch Boris' Eltern sind gekommen. Boris' Mutter ist zuerst leicht verärgert, als sie sieht, dass ihr Sohn nicht alleine am Klavier sitzt. Sie pufft ihren Mann leise an und fragt: »Was macht denn der kleine Schwarze da neben Boris? Wieso spielt Boris nicht alleine?«

»Das ist doch Sammy«, erklärt ihr Mann. »Der mit dem Teddybären aus dem Haus gegenüber.«

»Aber warum spielt er denn mit Boris Klavier? Zu zweit zweihändig. So ein Quatsch!«

Boris' Vater kann sich das zwar auch nicht erklären, aber er findet die Idee gar nicht so schlecht. Und außerdem machen sie ihre Sache doch wirklich gut.

Bei Boris und Sammy läuft tatsächlich alles glänzend. Heute sind sie Sonia richtig dankbar dafür, dass sie sie die letzten Wochen mit ihrer Kritik so sehr gequält hat. Es hat sich gelohnt. Sammy hat zwar einmal auf die falsche Taste gehauen, aber das haben nur Boris und er gemerkt.

Am Schluss der Probe gibt es einen riesigen Applaus. Alle müssen zugeben, dass die beiden am Klavier gut gespielt haben. So gut, als wenn Boris es alleine gemacht hätte.

Auch Frau Pinkepang ist zufrieden.

»Experiment gelungen«, sagt sie. »Und morgen treffen wir uns alle gut ausgeschlafen um 9.00 Uhr in der Aula. Ein Platz unter den ersten drei müsste eigentlich für uns drin sein.«

Zehn Minuten später hat der Hausmeister allen Grund, missbilligend den Kopf zu schütteln. Er muss beobachten, wie Sonia, Boris und Sammy mit ihren Fahrrädern im Zickzack über den Schulhof Richtung Schultor sausen, obwohl das auf dem Schulgelände strengstens untersagt ist. Zu allem Überfluss fahren alle drei auch noch freihändig, die Arme in die Luft gestreckt, so als hätten sie soeben ein großes Rennen gewonnen.

Immer noch kopfschüttelnd schließt der Hausmeister das Tor hinter ihnen zu. »Nichts als Blödsinn haben diese Kinder heutzutage im Kopf«, murmelt er.

Nachtrag

Den ersten Preis hat die Klasse am nächsten Morgen beim Wettbewerb nicht geholt. Den bekam das Klassenorchester einer Nachbarschule, das schon viel länger zusammen spielt und mehr Erfahrung hat.

Am Ende sind sie aber auch mit dem zweiten Platz sehr zufrieden. Sie haben mehr erreicht, als zu Beginn des Wettbewerbs zu erwarten war.

Eine Reise ans Meer dürfen sie trotzdem machen. Und das haben sie ausgerechnet den beiden Klavierspielern zu verdanken: Boris und Sammy bekommen einen Sonderpreis, den die Bank ganz spontan gestiftet hat, für das beste Klavierduo: Drei Tage an der Ostsee mit der ganzen Klasse.

Ferienchaos pur

Andreas Steinhöfel
Rico, Oskar und die Tieferschatten
Illustriert von Peter Schössow
224 Seiten
Taschenbuch
ISBN 978-3-551-31029-3

Eigentlich soll Rico ja nur ein Ferientagebuch führen. Aber für einen, der ständig den roten Faden verliert, ist das gar nicht so leicht! Als er dann auch noch Oskar mit dem blauen Helm kennenlernt und die beiden dem berüchtigten ALDI-Kidnapper auf die Spur kommen, weiß Rico gar nicht mehr, wo vorne und hinten ist. Wenigstens verlieren mit Oskar die Tieferschatten etwas von ihrem Schrecken – und so entsteht aus dem ganzen Chaos eine wunderbare Freundschaft.

Mut gegen Gewalt

Elisabeth Zöller
Ich knall ihr eine!
Emma wehrt sich
144 Seiten
Taschenbuch
ISBN 978-3-551-35863-9

»Wir sind wie Gott, nur stärker.« So lautet das Credo von Evas Clique, die alle Schüler in der Klasse tyrannisiert. Keiner traut sich, dagegen zu halten. Darf man das überhaupt? Zurückschlagen? Mit ihrer Mutter will Emma nicht darüber reden. Die würde durchdrehen, wenn sie wüsste, was in der Schule abgeht. Und die Lehrer kapieren sowieso nichts. Eines Tages wird Emmas Wut aber doch zu groß – und sie teilt ordentlich aus! Sofort ändern sich die Dinge.

www.carlsen.de